LA
GRÂCE DE
l'imperfection

Brené Brown

LA GRÂCE DE
l'imperfection

Lâchez prise
sur ce que vous pensez devoir être
et soyez qui vous êtes

Traduit par Romain Boudreault

BÉLIVEAU
éditeur

L'édition originale de cet ouvrage a été publiée sous le titre
THE GIFTS OF IMPERFECTION
© 2010 par Brené Brown
Hazelden - Center City, Minnesota 55012 (É.-U.)
ISBN 978-1-59285-849-1

Conception de la couverture : Jean-François Szakacs

Tous droits réservés
© 2013, BÉLIVEAU Éditeur

Dépôt légal : 1er trimestre 2013
Bibliothèque et Archives nationales du Québec
Bibliothèque et Archives Canada

ISBN 978-2-89092-541-0

BÉLIVEAU
—— ★ ——
é d i t e u r

920, rue Jean-Neveu
Longueuil (Québec) Canada J4G 2M1
Tél. : 514 253-0403/450 679-1933 Téléc. : 450 679-6648

www.beliveauediteur.com
admin@beliveauediteur.com

Gouvernement du Québec – Programme de crédit d'impôt pour l'édition
de livres – Gestion SODEC – www.sodec.gouv.qc.ca.

Nous reconnaissons l'aide financière du gouvernement du Canada par
l'entremise du Fonds du livre du Canada pour nos activités d'édition.

IMPRIMÉ AU CANADA

À Steve, Ellen et Charlie,

Je vous aime de tout mon cœur

———————————

Table des matières

Remerciements

Je suis profondément reconnaissante aux personnes suivantes :

Patricia Broat, Karen Casey, Karen Chernyaev, Kate Croteau, April Dahl, Ronda Dearing, Sid Farrar, Margarita Flores, Karen Holmes, Charles Kiley, Polly Koch, Shawn Ostrowski, Cole Schweikhardt, Joanie Shoemaker, Dave Spohn, Diana Storms, Ashley Thill, Sue Thill, Alison Vandenberg, Yolanda Villarreal, Jo-Lynne Worley, mes amis de *Move-a-Body*, ma famille ainsi que les *Lovebombers*.

♥

Préface

*S'approprier sa propre histoire et s'aimer
soi-même est la chose la plus brave
que nous puissions jamais faire.*

Une fois qu'on a cerné un schéma, un *pattern*, on ne peut plus faire semblant de ne pas le voir. J'ai bien essayé, croyez-moi, mais quand la même vérité se répète constamment, il est difficile de prétendre qu'elle n'est qu'une coïncidence. Par exemple, même si j'essaie de me convaincre que je peux fonctionner avec six heures de sommeil dans le corps, tout ce qui se trouve en-dessous de huit heures me laisse impatiente, anxieuse et à la recherche de glucides. C'est un schéma. J'ai aussi un épouvantable schéma de procrastination : je reporte toujours l'écriture à plus tard en faisant le grand ménage de la maison et en dépensant beaucoup trop de temps et d'argent dans les fournitures de bureau et les systèmes de classement. Toujours, toujours.

Si on ne peut pas ignorer nos propensions, c'est notamment parce que notre esprit est conçu pour chercher des schémas et leur donner un sens. L'être humain est une espèce créatrice de sens. Or, après des années de formation sur ce sujet, mon esprit est maintenant encore plus enclin à le faire ; la recherche de modèles, de *patterns*, est même devenue mon gagne-pain.

Comme chercheuse, j'observe le comportement humain afin d'être capable de dégager et de nommer les subtiles connexions, relations et schémas qui nous aident à donner un sens à nos pensées, à nos comportements et à nos sentiments.

J'adore ce que je fais. La chasse aux schémas est un travail fascinant et, à vrai dire, tout au long de ma carrière, mes efforts pour *ne pas voir* étaient strictement limités à ma vie personnelle et aux vulnérabilités que j'adorais nier. Tout a changé en novembre 2006 quand les recherches qui remplissent ces pages a produit un sacré soufflet à ma vie. Pour la première fois de ma carrière, j'aurais alors tout fait pour ne plus voir mes propres recherches.

Jusque-là j'avais consacré ma carrière à analyser des émotions pénibles comme la honte, la peur et la vulnérabilité. J'avais écrit des articles sérieux sur la honte, mis au point un programme de résilience à la honte pour les spécialistes en santé mentale et en dépendances, et écrit un livre sur le sujet intitulé *I Thought It Was Just Me*[1].

Tandis que je recueillais des milliers de témoignages d'hommes et de femmes venant de partout au pays (et dont l'âge allait de 18 à 87 ans), j'ai remarqué de nouveaux schémas que j'avais envie d'explorer davantage. Oui, nous luttons tous avec la honte et avec la peur de ne pas être à la hauteur. Et, oui, beaucoup d'entre nous craignent d'exposer leur véritable personnalité.

---

1. Brené Brown, *Connections: A 12-Session Psychoeducational Shame-Resilience Curriculum* (Center City, MN: Hazelden, 2009); Brené Brown, *I Thought It Was Just Me (but it isn't): Telling the Truth About Perfectionnism, Inadequacy, and Power* (New York: Penguin/Gotham Books, 2007); Brené Brown, «Shame Resilience Theory», dans *Contemporary Human Behavior Theory: A Critical Perspective for Social Work*, éd. rév., éd. Susan P. Robbins, Pranab Chatterjee et Edward R. Canda (Boston: Allyn and Bacon, 2007); Brené Brown, «Shame Resilience Theory: A Grounded Theory Study on Women and Shame», *Families in Society* 87, no 1 (2006): 43-52.

Pourtant, parmi ces montagnes de données, il se trouvait une foule d'hommes et de femmes qui vivaient des vies extraordinaires et inspirantes.

J'ai entendu des histoires sur le pouvoir des imperfections et des vulnérabilités. J'ai appris l'inextricable connexion entre la joie et la reconnaissance. J'ai constaté combien certaines choses tenues pour acquises, tels le repos et le jeu, s'avéraient aussi vitales à notre santé que la bonne alimentation et l'exercice. Ces participants à mes recherches avaient confiance en eux-mêmes, et ils parlaient de l'authenticité, de l'amour et de l'appartenance d'une façon qui m'était complètement nouvelle.

Je voulais voir ces témoignages comme un tout, alors j'ai pris une feuille et un marqueur et j'ai écrit les deux premiers mots qui me sont venus à l'esprit: sans réserve. Je ne savais pas trop ce que ça voulait dire, mais je savais d'instinct que ces histoires parlaient de gens qui vivaient et aimaient entièrement, avec tout leur cœur.

Je me suis beaucoup interrogée sur la vie sans réserve. Que valorisaient ces personnes? Comment créaient-elles une telle résilience dans leur quotidien? De quoi s'inquiétaient-elles le plus et comment faisaient-elles pour résoudre leurs problèmes? La vie sans réserve est-elle possible pour n'importe qui? Qu'est-ce que cela prend pour cultiver ce dont nous avons besoin? Qu'est-ce qui obstrue la route?

Lorsque je me suis mise à analyser les témoignages et à chercher des thèmes récurrents afin de les noter par écrit, j'ai constaté que les schémas tombaient généralement dans l'une ou l'autre de deux colonnes. Pour m'en tenir au plus simple, j'ai intitulé ces colonnes *Oui* et *Non*. La colonne *Oui* débordait de mots comme dignité, repos, jeu, confiance, foi, intuition, espoir, authenticité, amour, sentiment d'appartenance, joie, reconnaissance et créativité. La colonne *Non* était pleine de mots comme perfection, indifférence, certitude, épuisement, autosuffisance, se conformer, faire comme les autres, jugement et manque.

J'ai eu le souffle coupé la première fois que je me suis éloignée de ma feuille de papier pour assimiler le tableau que j'obtenais. J'ai ressenti le pire des chocs. Je me rappelle avoir marmonné : « Non. Non. Non. Comment ça se fait ? »

Même si c'est moi qui avais écrit ces listes de mots, j'étais sidérée. Quand je décode mes données, j'entre toujours profondément en mode recherche. Mon unique objectif est alors de saisir l'essence des témoignages entendus. Je ne pense pas à comment je le dirais, mais à comment on me l'a dit. Je ne pense pas à ce qu'une expérience signifierait pour moi, mais seulement à ce qu'elle signifiait pour la personne qui me l'a racontée.

Je me suis assise sur la chaise rouge de ma table à déjeuner et j'ai fixé mes deux listes pendant longtemps. Mes yeux ont regardé les mots de haut en bas, d'un côté et de l'autre. Je me souviens qu'à un certain moment j'avais les larmes aux yeux et la main sur la bouche comme quelqu'un qui vient d'apprendre une mauvaise nouvelle.

Et, en vérité, il s'agissait bel et bien d'une mauvaise nouvelle. Car je pensais trouver que les gens qui vivent sans réserve étaient comme moi et faisaient comme moi : travailler dur, suivre les règles, recommencer jusqu'à la perfection, essayer constamment de mieux me connaître, élever mes enfants dans les règles de l'art... Après avoir étudié des sujets difficiles comme la honte pendant une décennie, je croyais mériter la confirmation que je « vivais comme il faut ».

Or, voici la dure leçon que j'ai apprise ce jour-là (et à chaque jour depuis) :

Ce qu'on connaît et comprend de soi-même est crucial, mais il se trouve quelque chose de plus essentiel encore pour vivre une vie sans réserve : s'aimer soi-même.

La connaissance de soi, c'est important, mais seulement si on est indulgent et tendre envers soi-même pendant qu'on travaille à découvrir qui on est. Vivre sans réserve consiste tout autant à accueillir notre tendresse et notre vulnérabilité qu'à apprendre à se connaître et à s'affirmer.

Et la leçon la plus douloureuse que j'ai apprise ce jour-là m'a frappée si fort qu'elle m'a coupé le souffle : il me paraissait clair et net qu'on ne peut pas donner à ses enfants ce qu'on n'a pas. Où on en est dans sa quête d'aimer et de vivre avec tout son cœur est un bien meilleur indicateur du succès de ses aptitudes parentales que tout ce qu'on peut apprendre dans des livres pratiques.

Cette quête est autant un travail de l'esprit qu'un travail du cœur, et alors que je me trouvais assise sur la chaise rouge en ce jour morose de novembre, il ne faisait aucun doute pour moi que j'échouais dans mon propre travail du cœur.

Je me suis finalement levée. J'ai repris mon marqueur, j'ai souligné la liste dans la colonne *Non* et j'ai écrit le mot « moi » en-dessous. La somme de cette liste semblait résumer à merveille toutes mes luttes.

J'ai croisé les bras fort contre ma poitrine, je me suis rassise lourdement et je me suis dit : *Voilà qui est formidable. Je vis exactement comme dans la colonne de merde.*

J'ai arpenté la maison durant vingt bonnes minutes pour essayer d'oublier et de déconstruire tout ce que je venais de réaliser, mais je n'arrivais pas à effacer les mots de mon esprit. Le recul était impossible, alors j'ai fait la meilleure chose que je pouvais : j'ai plié mes grandes feuilles de papier soigneusement et je les ai rangées dans un bac en plastique qui se glissent parfaitement sous mon lit, tout près du papier d'emballage de Noël. Je n'allais plus rouvrir ce bac avant mars 2008.

Je me suis ensuite trouvé une excellente thérapeute et j'ai entamé une année de travail sérieux sur moi-même qui allait changer ma vie pour toujours. Diana, ma thérapeute – je ris encore de ma première visite – qui est la thérapeute de nombreux autres thérapeutes, a commencé en me demandant: «Qu'est-ce qui se passe?» J'ai sorti la liste *Oui* et j'ai dit fermement: «J'ai besoin que ma vie contienne davantage des choses qui sont sur cette liste. Quelques conseils et outils m'aideraient. Rien de super profond. Pas de sornettes sur l'enfance ou ce genre de truc.»

Ce fut une longue année. Sur mon blogue, je fais affectueusement référence à cette année-là en parlant de ~~ma dépression~~ mon Éveil Spirituel de 2007. À mes yeux, il s'agissait d'une dépression exemplaire, mais Diana l'appelait éveil spirituel. Je pense que nous avions toutes les deux raison. En fait, je commence à me demander s'il est possible d'avoir l'un sans avoir l'autre également.

Évidemment, ce n'est pas une coïncidence si tout est arrivé en novembre 2006. Les étoiles s'alignaient parfaitement pour une dépression: j'étais depuis peu en sevrage de sucre et de féculents, j'approchais de mon anniversaire (un moment qui me plonge toujours dans la réflexion), je m'étais épuisée au travail et j'étais au seuil du *dénouement de ma quarantaine*.

Les gens nomment cette période «crise de la quarantaine», mais ce ne l'est pas. C'est un dénouement: une période où vous sentez le besoin désespéré de vivre la vie que vous désirez vivre, pas celle que vous êtes «supposé» vivre. Le dénouement est cette période où vous êtes défié par l'Univers de lâcher prise sur ce que vous pensez devoir être et devenir qui vous êtes.

Cette étape de milieu de vie est l'un des grands dénouements de l'existence, mais il y en a d'autres :

- le mariage
- le divorce
- la venue au monde d'un enfant
- la guérison
- un déménagement
- le syndrome du nid vide
- la retraite
- le deuil ou un traumatisme
- l'épuisement professionnel

L'Univers ne manque pas d'alarmes. C'est nous qui sommes prompts à appuyer sur le bouton *snooze*.

Le travail que j'avais à accomplir s'est révélé bordélique et profond. J'ai progressé péniblement jusqu'au jour où, épuisée et les souliers encore dégoulinants de boue, je me suis dit : *Oh, mon Dieu. Je me sens différente. Je me sens joyeuse et vraie. J'ai encore peur, mais je me sens aussi très brave. Quelque chose a changé : je le sens jusque dans mes os.*

Ma santé était meilleure, et j'éprouvais plus de joie et de reconnaissance que jamais. Je me sentais plus calme, les pieds mieux fixés au sol et moins anxieuse. J'avais ravivé ma fibre créative, reconnecté avec ma famille et mes amis d'une manière nouvelle et, le plus important, je me sentais vraiment bien dans ma peau pour la première fois de ma vie.

J'ai appris à me préoccuper davantage de ce que je ressens et moins de «ce que peuvent penser les autres». Je me suis établi de nouvelles limites et j'ai commencé à lâcher prise sur mon besoin de plaire, de tout accomplir et de tout perfectionner. J'ai commencé aussi à dire *non* plutôt que *bien sûr* (et me montrer irascible et amère par la suite). J'ai commencé à dire «Yessssss!», plutôt que «Ce serait très amusant, mais j'ai trop de travail» ou «Je le ferai quand je serai _____ (plus mince, moins occupée, mieux préparée).»

Pendant que je travaillais à ma propre quête d'une vie sans réserve avec Diana, j'ai lu près de quarante livres, incluant le moindre essai sur l'éveil spirituel. Ces guides m'ont incroyablement aidée, mais j'avais toujours aussi soif d'un livre qui offrirait inspiration et ressources et qui serait, en quelque sorte, un compagnon d'âme du voyageur.

Un jour, en regardant longuement la pile de livres sur ma table de chevet, l'idée m'a frappée de plein fouet! *Je veux raconter cette histoire dans un essai.* Je veux raconter comment une diplômée cynique et je-sais-tout est devenue, dans les moindres détails, le stéréotype même qu'elle a passé sa vie adulte à ridiculiser. Je veux confier comment je suis devenue cette chercheuse quadragénaire en rétablissement, en quête de spiritualité, sensible, créative et soucieuse de sa santé, qui passe ses journées à contempler des choses comme la grâce, l'amour, la créativité et l'authenticité, et qui est plus heureuse qu'elle ne se l'imaginait possible. J'appellerai ça la vie sans réserve.

Je me souviens d'avoir aussi pensé: *Avant d'écrire cet essai, j'ai besoin d'utiliser ces recherches pour écrire un guide sur la vie sans réserve!* À mi-chemin de l'année 2008, j'avais rempli trois immenses bacs de cahiers de notes, de journaux et de monticules de données. J'avais tout ce qu'il me fallait, y compris le désir passionné d'écrire ce livre que vous avez entre les mains.

En ce jour fatidique de novembre où les listes *Oui* et *Non* sont apparues et où je me suis engloutie dans la pensée que je ne vivais ni n'aimais de tout mon cœur, je n'étais pas tout à fait convaincue. La lecture de ces listes ne suffisait pas pour y croire.

J'ai dû me dépasser, aller au fond de moi-même et faire le *choix conscient* et délibéré de croire… de croire en moi-même et dans la possibilité de vivre une vie différente. Beaucoup de questions, de larmes et de moments joyeux plus tard, je peux dire que cette foi m'a aidée à comprendre.

Ce que je comprends maintenant, c'est que s'approprier sa propre histoire et s'aimer soi-même est la chose la plus brave que nous puissions jamais faire.

Ce que je comprends maintenant, c'est que cultiver une vie sans réserve n'est pas comme essayer d'atteindre une destination. C'est plutôt comme marcher vers une étoile dans le ciel. Nous n'y arrivons jamais tout à fait, mais nous savons certainement que nous sommes dans la bonne direction.

Ce que je comprends maintenant, c'est que des grâces comme le courage, la compassion et la connexion ne viennent qu'avec la pratique. La pratique quotidienne.

Ce que je comprends maintenant, c'est que le travail qui consiste à cultiver et à lâcher prise, pour chacune des dix balises décrites dans ce livre, n'est pas une « liste de choses à faire ». Ce n'est pas une tâche qu'on accomplit une fois pour toutes pour ensuite la rayer de sa liste. C'est le travail de toute une vie. C'est un travail de l'âme.

Avant, pour moi, croire, c'était voir. Cette fois, j'ai d'abord cru, et ensuite seulement j'ai pu voir à quel point il est possible de changer sa propre personne, sa famille et sa communauté. Le seul bagage nécessaire est le courage de vivre et d'aimer de tout son cœur, sans réserve. C'est un honneur de faire ce voyage avec vous !

♥

Introduction

Vivre sans réserve

Vivre sans réserve, c'est s'engager dans sa propre existence avec dignité. C'est cultiver le courage, la compassion, la connexion et pouvoir se lever le matin en pensant: *Peu importe ce qui sera fait aujourd'hui et ce qui ne le sera pas encore, je suis à la hauteur.* C'est aller au lit le soir en se disant: *Oui, je suis imparfait et vulnérable, et même parfois effrayé, mais cela ne change rien au fait que je suis également courageux, digne d'amour et d'appartenance.*

Le voyage

Choisir de vivre sans réserve ne se fait pas d'un seul coup. C'est un processus. En fait, je crois que c'est la quête d'une vie entière. Mon but est de mettre en lumière cette constellation de choix qui conduisent à l'authenticité et de partager ce que j'ai appris de beaucoup, beaucoup de gens qui se sont consacrés à vivre et à aimer avec toute la force de leur cœur.

Avant de s'embarquer dans un voyage quel qu'il soit, incluant celui-ci, il est important de parler de ce dont nous avons besoin d'apporter avec soi. Qu'est-ce que cela prend pour vivre et aimer dans un sentiment de dignité? Comment assume-t-on vraiment l'imperfection? De quelle manière cultivons-nous les choses nécessaires et lâchons-nous prise sur celles qui nous empêtrent? La réponse à toutes ces questions s'incarne dans le courage, la compassion et la connexion – trois outils dont nous avons besoin afin de réussir notre voyage.

Si vous vous dites: *Génial. J'ai juste besoin d'être un super-héros pour combattre le perfectionnisme*, je comprends. Le courage, la compassion et la connexion semblent des idéaux élevés et nobles, mais dans la réalité, ils se révèlent être des pratiques quotidiennes qui, lorsque mises en œuvre suffisamment, deviennent d'inestimables cadeaux dans notre vie. Et la bonne nouvelle, c'est que nos vulnérabilités sont précisément ce qui nous force à utiliser ces outils extraordinaires. Parce que nous sommes humains et si magnifiquement imparfaits, nous avons l'occasion de les utiliser et de les mettre en pratique sur une base quotidienne. En ce sens, le courage, la compassion et la connexion deviennent des grâces : des grâces de l'imperfection.

Voici ce que vous allez découvrir dans les pages qui suivent. Au premier chapitre, j'explique ce que j'ai appris sur le courage, la compassion et la connexion, et comment ceux-ci sont de véritables outils pour développer notre sentiment de dignité.

Une fois que nous aurons une meilleure idée de ces outils à notre disposition au cours de notre voyage, le chapitre suivant nous conduira au cœur du sujet: l'amour, l'appartenance et la dignité. Je réponds à certaines des plus épineuses questions dans ma carrière: Qu'est-ce que l'amour? Pouvons-nous aimer quelqu'un et le trahir? Pourquoi notre besoin constant de «nous intégrer» sabote-t-il l'appartenance véritable? Pouvons-nous aimer notre proche entourage, comme nos partenaires et nos enfants, davantage que nous-mêmes? Comment définissons-nous la dignité, et pourquoi sommes-nous en train de la revendiquer plutôt que d'y croire simplement?

Nous rencontrons des obstacles dans tous les voyages que nous entreprenons; la quête d'une vie sans réserve n'y fait pas exception. Dans le chapitre qui suit, nous allons explorer ce que je me suis mise à considérer comme les plus grands obstacles qui nous empêchent de vivre et d'aimer sans réserve, puis nous allons voir comment élaborer des stratégies efficaces pour surmonter ces obstacles et cultiver notre résilience.

À partir de là, nous allons nous familiariser avec les dix balises de la quête d'une vie sans réserve, des pratiques quotidiennes qui nous dirigeront et nous guideront durant notre voyage. Je consacre à chaque balise un chapitre que j'illustre d'anecdotes, de définitions, de citations et d'idées pour faire des choix mûrement réfléchis et inspirés sur notre manière de vivre et d'aimer.

Des moments-charnières

Ce livre regorge de mots-concepts tels qu'*amour, appartenance* et *authenticité*. Je trouve impératif de définir ces termes passe-partout qu'on dit et redit chaque jour mais qu'on explique rarement. En cela je crois que des définitions justes devraient être à la fois accessibles et parlantes. J'ai essayé de définir ces mots de façon à ce qu'ils nous aident, pour ainsi dire, à mieux les analyser. Quand on creuse au-delà des définitions simplistes et qu'on découvre les activités et les expériences quotidiennes qui mettent le *cœur* au centre de la vie sans réserve, on voit comment les gens définissent les concepts qui dirigent leurs actions, leurs croyances et leurs émotions.

Par exemple, lorsque des participants à mes recherches parlaient d'un concept comme celui d'*amour*, je veillais à définir ce concept tel que chacun le vivait. Parfois, cela m'obligeait à développer de nouvelles définitions (ce que j'ai effectivement fait avec le mot *amour* et beaucoup d'autres mots). Il est arrivé aussi que, après avoir feuilleté quelques livres, j'aie déniché des définitions qui rendent l'essence même des expériences des participants. Le *jeu* en est un bon exemple. Le jeu est l'une des composantes centrales d'une vie sans réserve, et quand j'ai cherché sur le sujet, j'ai découvert le formidable travail du Dr Stuart Brown[2]. Au lieu, donc, de produire une nouvelle définition, je fais référence à son travail parce qu'il reflète avec netteté ce que j'ai appris lors de mes recherches.

Je sais que les définitions suscitent la controverse et le désaccord, mais je suis à l'aise avec cela. Je préfère que nous débattions de la signification des mots qui sont importants pour nous plutôt que de ne pas en discuter du tout. Nous avons besoin d'un langage commun pour arriver à la conscientisation et à la compréhension, lesquels sont tous deux indissociables de la vie sans réserve.

Le pilote automatique

Tôt au cours de l'année 2008, à l'époque où mon blogue était encore assez jeune, j'ai écrit un billet où je racontais avoir bousillé mon «pilote automatique». Vous connaissez le bouton du pilote automatique, n'est-ce pas? C'est ce bouton sur lequel on appuie quand on est trop épuisés pour se lever une énième fois en plein milieu de la nuit, ou trop écœurés pour faire une autre brassée de lavage avec du linge sali par le vomi ou la diarrhée, ou trop vidés pour attraper un autre avion ou retourner un appel de plus, trop à bout pour plaire/accomplir/perfectionner comme on le fait trop souvent même quand on a envie d'envoyer promener quelqu'un et se cacher sous les couvertures.

---

2. Stuart Brown avec Christopher Vaughan, *Play: How It Shapes the Brain, Opens the Imagination, and Invigorates the Soul* (New York: Penguin Group, 2009).

Le pilote automatique, c'est un moyen secret de se dépasser quand on est fourbus et surchargés, et quand il y a trop à faire et trop peu de temps pour prendre soin de soi.

Dans le billet de mon blogue, j'ai expliqué comment j'avais choisi de ne pas réparer mon bouton de pilote automatique. Je me suis promis que, désormais, lorsque je me sentirais vidée émotionnellement, physiquement ou spirituellement, j'essaie-rais de ralentir plutôt que de miser sur mon pilote automatique pour me dépasser, pousser mes limites et, au bout du compte, en pâtir.

Cela a fonctionné pendant un certain temps, mais mon pilote automatique me manquait. Je ne l'avais plus à ma disposition les fois où j'étais abattue et morose. J'avais besoin d'un outil pour me dépasser sans en pâtir. Aussi suis-je retournée au cœur de mes recherches pour voir si je ne pouvais pas trouver une façon de le faire qui soit davantage compatible avec la vie sans réserve. Peut-être y avait-il quelque chose de mieux que de se résigner.

Voici ce dont j'ai pris conscience : les hommes et les femmes qui vivent sans réserve se dépassent tout autant que les autres. Seulement, ils le font différemment. Lorsqu'ils sont épuisés et surchargés, voici ce qu'ils font :

- ils choisissent de façon réfléchie leurs pensées et leurs comportements par la prière, la méditation ou simple-ment en définissant leurs intentions ;

- ils trouvent l'inspiration pour faire des choix nouveaux et différents ;

- ils agissent.

Depuis que j'ai découvert cela, j'ai utilisé ma nouvelle manière de me dépasser et le résultat a été impressionnant. Un exemple de cette trouvaille est arrivé tout récemment alors que j'errais au sein d'un brouillard Internet. Plutôt que de travailler, je tournais en rond, un peu dans les limbes, jouant sans grand intérêt sur Facebook et gaspillant mon temps sur l'ordinateur. Je n'étais ni reposée, encore moins productive; c'était, pour le dire en un mot, un gigantesque siphon de temps et d'énergie.

J'ai essayé ma nouvelle manière de me dépasser: devenir réfléchie, inspirée, agissante. Je me suis dit: *Si tu as besoin de te ressourcer et que perdre des heures en ligne est amusant et relaxant, alors vas-y fort. Mais si ça ne l'est pas, fais quelque chose qui te détende vraiment. Trouve une activité qui s'avère inspirante plutôt qu'une qui ramollisse ton esprit. Et, surtout, lève-toi et agis!* J'ai fermé mon ordinateur portable, j'ai fait une courte prière pour me rappeler d'être compatissante envers moi-même, puis j'ai regardé un film qui était resté dans son enveloppe Netflix, posé sur mon bureau depuis plus d'un mois. C'était précisément ce dont j'avais besoin.

Ce n'était certes pas mon ancienne façon de me dépasser, celle qui m'incitait à pousser mes limites. Je ne me suis pas for- cée à me remettre au travail ou à effectuer quelque chose de productif. J'ai plutôt décidé, intimement, volontairement, après y avoir bien pensé, de trouver une solution qui sache me régénérer.

Chacune des dix balises présente une section «Dépassez- vous» qui peut nous aider à découvrir des moyens d'être réflé- chis et inspirés dans nos choix, et comment agir. Je partage avec vous mes propres stratégies de dépassement et je vous encou- rage à trouver les vôtres. Elles se sont montrées mille fois plus efficaces que la vieille tactique du «pilote automatique».

Ce que j'espère apporter

Ce livre est plein de sujets profonds comme la compassion envers soi-même, l'acceptation et la gratitude. Je ne suis pas la première à en parler, et je ne suis certainement pas la plus brillante chercheuse ni la plus talentueuse des écrivains. Je suis,

toutefois, la première à expliquer comment ces sujets contribuent individuellement et ensemble à cultiver une vie sans
réserve. Et, peut-être plus important encore, je suis assurément
la première personne à les analyser selon la perspective de
quelqu'un qui a passé des années à étudier la honte et la peur.

Je ne peux pas vous dire combien de fois j'ai voulu laisser tomber mes recherches sur la honte. Il est extrêmement difficile de
consacrer sa carrière à l'étude de sujets qui rendent les gens mal à
l'aise. À plusieurs occasions j'ai littéralement levé les bras en signe
d'abdication et dit : « J'abandonne, c'est trop dur. Il y a tant de choses plus excitantes à étudier. Je veux sortir de là ! » Je n'ai pas choisi
d'étudier la honte et la peur ; ces recherches m'ont choisie.

Maintenant je sais pourquoi. C'était ce dont j'avais besoin –
professionnellement et personnellement – pour me préparer à
écrire ce livre sur la vie sans réserve. On peut discourir sur le
courage, l'amour et la compassion jusqu'à devenir un répertoire
ambulant de phrases toutes faites, il reste qu'à moins d'être dis-
posés à parler honnêtement de ce qui nous empêche de les pratiquer dans notre vie quotidienne, nous ne changerons jamais.
Au grand jamais.

Le courage, c'est merveilleux, mais il ne faut pas oublier que
le courage exige un lâcher-prise par rapport à ce que les autres
pensent. Or, pour beaucoup d'entre nous, cela est angoissant. La
compassion est une chose que tous désirent, mais sommes-nous
prêts à comprendre pourquoi l'établissement de limites et le
mot « non » font partie intégrante de la compassion ? Sommes-
nous prêts à dire ce « non » en sachant que nous décevons
quelqu'un ? Le sentiment d'appartenance est un élément essentiel pour vivre une vie sans réserve, mais d'abord nous faut-il cultiver l'acceptation de soi : pourquoi est-ce si difficile ?

Avant de commencer à écrire, je me demande toujours :
Pourquoi ce livre vaut-il la peine d'être écrit ? Qu'est-ce que

j'espère apporter? Ironiquement, je pense que la plus précieuse contribution que je puisse faire aux discussions actuelles sur l'amour, l'appartenance et la dignité provient de mes expériences en tant que chercheuse sur la honte.

Entamer ce travail avec une compréhension accomplie de ce que les vieilles cassettes et les diablotins de la honte disent pour nous faire sentir inquiets et petits me permet de faire davantage que de présenter de belles idées. Ma perspective m'aide à partager de réelles stratégies pour changer nos vies. Si nous voulons savoir pourquoi nous sommes si anxieux de laisser nos vraies personnalités être vues et connues, nous devons comprendre le pouvoir de la honte et de la peur. Si nous n'arrivons pas à nous émanciper du *jamais assez bien* et *pour qui te prends-tu?*, nous ne pouvons pas avancer.

Durant ces moments de désespoir et de défaite qui habitent mon passé, alors que j'étais aux prises avec mes recherches sur la honte, j'aurais souhaité savoir ce que je sais aujourd'hui. Si je pouvais revenir en arrière et murmurer quelque chose à mon oreille, je dirais à cette personne du passé la même chose que je vous dis dès maintenant, alors que nous débutons ce voyage:

Nous approprier notre propre histoire peut être difficile, mais pas autant que passer notre vie à la fuir. Embrasser nos vulnérabilités est risqué, mais pas aussi dangereux que laisser tomber l'amour, l'appartenance et la joie: les expériences mêmes qui nous rendent le plus vulnérables. C'est seulement lorsque nous sommes suffisamment braves pour aller explorer l'obscurité que nous pourrons découvrir la puissance infinie de notre lumière.

♥

Le courage, la compassion et la connexion

LES GRÂCES DE L'IMPERFECTION

C'est en pratiquant le courage, la compassion et la connexion sur une base quotidienne qu'on travaille à la dignité. *Pratique* est le mot-clé ici. Mary Daly, une théologienne, a écrit: «Le courage, c'est comme un habitus, une habitude, une vertu: vous l'atteignez par des actes courageux. C'est comme apprendre à nager en nageant. Vous apprenez le courage en devenant courageux.» Il en va de même pour la compassion et la connexion. Nous intégrons la compassion à notre vie lorsque nous agissons avec compassion envers nous-mêmes et envers les autres, et nous nous sentons connectés dans notre vie lorsque nous allons vers les autres et que nous nous connectons à eux.

Avant de définir ces concepts et d'expliquer leur fonctionnement, je veux d'abord vous montrer comment ils vont de pair, en tant que pratiques, dans la vie de tous les jours. Je vais vous raconter une histoire personnelle qui parle du courage d'entrer en contact, de la compassion qui sait dire: «Je l'ai vécu, moi aussi», et des connexions qui nourrissent notre dignité.

L'orage de la honte du parent-mercenaire

Il n'y a pas si longtemps de cela, la directrice d'une grande école primaire publique, ainsi que le président de l'association parents-enseignants de cette même école, m'ont invitée à m'adresser à un groupe de parents au sujet de la relation entre la résilience et les frontières. À cette époque, j'étais justement en train de recueillir des données sur le rôle des parents et des écoles qui se donnent sans réserve, alors j'ai trouvé l'opportunité excellente. Je n'avais pas la moindre idée de ce dans quoi je venais de m'embarquer.

Aussitôt que j'ai mis le pied dans l'auditorium de cette école, j'ai ressenti une impression vraiment étrange qui émanait des parents dans l'auditoire. Ils semblaient presque inquiets. J'ai interrogé la directrice à ce propos, mais elle s'est contentée de hausser les épaules avant de s'éloigner. Le président de l'association parents-enseignants n'avait pas grand-chose à me dire à ce sujet non plus. J'ai mis cette impression sur le compte de ma nervosité et j'ai essayé de ne plus y penser.

J'étais assise dans la première rangée quand la directrice m'a présentée à l'auditoire. Ce genre de moment est une expérience qui me met toujours très mal à l'aise : quelqu'un énumère la liste de mes réussites pendant que je réprime discrètement une envie de vomir et de prendre la poudre d'escampette. En fait, cette présentation dépassa toutes celles que j'avais déjà vécues.

La directrice disait des choses comme : «Vous n'aimerez peut-être pas ce que vous allez entendre ce soir, mais nous avons besoin de l'écouter pour l'amour de nos enfants ! Dr Brown est là pour transformer notre école et nos vies ! Elle va nous guider dans le droit chemin, que cela nous plaise ou non ! »

Elle parlait de cette voix forte, agressive, et semblait avoir les nerfs à fleur de peau. J'avais l'impression d'être présentée comme la prochaine lutteuse redoutable d'un match de la WrestleMania de la WWE. Il ne manquait plus que la musique de circonstance et quelques effets stroboscopiques.

Avec du recul, je me suis dit que j'aurais dû marcher vers le podium et avouer sans détour : «Je me sens très inconfortable.

Je suis contente d'être ici, mais je n'ai pas du tout l'intention de guider quiconque vers un droit chemin. Je ne veux pas non plus que vous pensiez qu'en une heure je vais essayer de transformer votre école. Mais qu'est-ce qui se passe donc? »

Je ne l'ai pas fait, cependant. J'ai simplement commencé ma conférence à ma manière vulnérable du «Je-suis-une-chercheuse-mais-je-suis-également-un-parent-aussi-dépassé-que-vous». Eh bien, le sort en était jeté. Ces parents n'étaient pas réceptifs; je ne sentais plutôt, rangée après rangée, que des regards qui me toisaient.

Il y avait surtout cet homme, assis dans la toute première rangée, qui avait les bras croisés ainsi que la mâchoire tellement serrée que les veines de son cou semblaient vouloir en sortir. Toutes les trois ou quatre minutes, il se tortillait sur sa chaise, levait les yeux au ciel et soupirait plus fort que jamais je n'avais entendu quelqu'un soupirer. En fait, ses soupirs étaient tellement bruyants qu'il me faudrait un autre mot pour les désigner. Quelque chose comme un *râle*! C'était si terrible que les gens assis près de lui étaient visiblement embarrassés par son comportement. Eux aussi étaient inexplicablement mécontents de ma présence, mais cet homme rendait ni plus ni moins la soirée insupportable pour nous tous.

En tant que professeure d'expérience et animatrice de groupe, je sais en général comment gérer ces situations, et je me sens normalement à l'aise de le faire. Quand un individu perturbe ainsi une assemblée, vous n'avez vraiment que deux options possibles: ou vous l'ignorez ou vous prenez une pause pour le confronter en privé sur son comportement inconvenant. Mais j'étais tellement dérangée dans mes plans que j'ai plutôt choisi la pire chose imaginable: j'ai essayé de l'impressionner.

Je me suis mise à parler plus fort et à devenir beaucoup plus animée. J'ai cité d'effrayantes statistiques de recherches qui suffiraient à inquiéter n'importe quel parent. Je me suis servi de toute mon authenticité pour leur envoyer une bonne dose de «Vous feriez mieux de m'écouter, sinon vos enfants seront des décrocheurs dès la troisième année, ils feront de l'auto-stop le nez dans la drogue et courront avec des ciseaux dans les mains.»

Rien. Nada.

Je ne l'ai pas vu hocher la tête, ni esquisser un léger sourire d'assentiment, ni quoi que ce soit d'autre. J'ai seulement réussi à faire paniquer les 250 autres parents déjà irrités. Ce fut un désastre. Tenter de triompher de quelqu'un comme cet homme qui râlait est toujours une erreur, parce que cela suppose de sacrifier votre authenticité afin de recevoir de l'approbation. Autrement dit, vous cessez de croire à votre dignité et commencez à vous battre pour l'obtenir. Et Dieu sait à quel point j'étais en train de me battre alors.

À la fin de la conférence, j'ai pris mes affaires et j'ai trotté jusqu'à ma voiture. Tandis que je quittais le stationnement, mon visage est devenu chaud. Je me sentais toute petite et mon cœur battait la chamade. J'ai voulu refouler l'image encore très nette de cette conférence désastreuse, mais c'était plus fort que moi. L'orage de la honte couvait.

Lorsque les bourrasques de la honte se déchaînent autour de moi, il m'est presque impossible de me raisonner ou même de trouver quoi que ce soit de bon à propos de moi-même. Je me suis donc replongée dans l'autoflagellation verbale: *Mon Dieu, quelle idiote je suis. Pourquoi ai-je fait ça?*

Le plus inestimable cadeau que j'ai reçu en préparant cet ouvrage (les recherches autant que le travail personnel), c'est de pouvoir reconnaître la honte quand elle se manifeste. Tout d'abord, j'en connais mes propres symptômes physiques: la bouche sèche, l'horloge qui égrène les secondes, la vision qui rétrécit, le visage chaud, les battements du cœur qui s'accélèrent.

Je sais également que refaire jouer au ralenti la rétrospective douloureuse, encore et encore dans ma tête, est un signe d'avertissement.

Je sais aussi que la meilleure chose à faire dans une telle situation paraît de bout en bout contre-intuitif : pratiquer le courage et entrer en contact ! Nous devons nous approprier notre histoire et la partager avec quelqu'un qui mérite de l'entendre, quelqu'un que nous savons capable de réagir avec compassion. Nous avons besoin de courage, de compassion et de connexion. Dès que possible.

La honte n'aime pas que nous nous mettions à nu et racontions notre histoire. Elle déteste s'entourer de mots : elle ne peut survivre d'être partagée. La honte adore l'obscurité. La pire chose qu'on puisse faire à la suite d'une expérience honteuse est de cacher ou d'enterrer notre histoire. Quand nous voulons en faire disparaître les traces, la honte, au contraire, se métastase. Je me rappelle avoir dit à voix haute : « J'ai besoin de parler à quelqu'un MAINTENANT. Sois donc brave, Brené ! »

Mais voici ce qui est délicat avec la compassion et la connexion avec quelqu'un : on ne peut pas juste appeler n'importe qui. Ce n'est pas aussi simple. J'ai de nombreux bons amis, mais seulement une poignée de personnes que je sais capables de pratiquer la compassion dans les moments où je croupis dans le cachot de la honte.

Si nous partageons notre récit de la honte avec la mauvaise personne, cela peut aisément s'ajouter aux débris virevoltants d'un orage déjà violent. Nous voulons une connexion solide comme le roc dans une situation comme celle-là – quelque chose comme un arbre en santé dont les racines sont fermement ancrées dans le sol. Il nous faut assurément éviter les cas suivants :

1. L'amie qui écoute votre histoire et se met à ressentir de la honte à votre place. Elle a le souffle coupé et atteste à quel point vous devriez être horrifiée. Ensuite s'installe un silence gêné. Et c'est à votre tour de faire en sorte qu'*elle* se sente mieux!

2. L'ami qui répond avec sympathie (*Je suis vraiment désolé pour toi*) plutôt qu'avec empathie (*Je te comprends, je le ressens avec toi et je l'ai déjà vécu*). Si vous désirez qu'un cyclone de honte prenne de mortelles proportions, lancez un «Oh, pauvre toi!» à une victime de la honte, ou bien cette version du sud de la sympathie exprimée, incroyablement passive-agressive: «Que Dieu bénisse ton cœur».

3. L'amie qui a besoin que vous soyez le rempart infaillible de la dignité et de l'authenticité. Elle ne peut pas vous aider puisque vos imperfections la déçoivent: vous l'avez laissé tomber.

4. L'amie que la vulnérabilité rend si inconfortable qu'elle vous gronde: «Comment as-tu laissé ça arriver? Mais à quoi pensais-tu?» Ou encore elle cherche sur qui porter le blâme: «Voyons, c'était qui, cet homme? Allons lui botter le cul.»

5. L'ami qui tient à maquiller la réalité et qui, dans son propre malaise, refuse d'admettre que vous puissiez parfois être dingue et faire d'épouvantables choix: «Tu exagères. Ce n'est pas si pire. Tu épates. Tu es parfaite. Tout le monde t'aime.»

6. L'ami qui confond «connexion» avec l'occasion de marquer un point sur vous: «Ce n'est rien. Écoute plutôt ce qui m'est déjà arrivé!»

Bien sûr, nous sommes tous capables d'être ce genre d'«amis», en particulier si quelqu'un nous raconte une histoire qui se moule à notre propre placard de la honte. Nous sommes humains, imparfaits et vulnérables. Il n'est pas facile de pratiquer la compassion quand on est soi-même en lutte avec sa propre authenticité ou quand on sent compromise sa propre dignité.

Lorsque nous cherchons de la compassion, nous avons besoin d'une personne solidement enracinée, capable de souplesse et, surtout, qui accepte autant nos forces que nos faiblesses. Nous avons besoin d'honorer notre histoire en la partageant avec un être qui a *mérité* le droit de l'entendre, de la savoir. Lorsque nous cherchons de la compassion, nous avons besoin de connecter avec la *bonne personne*, au *bon moment* et au sujet du *bon problème*.

J'ai appelé ma sœur. La dernière fois que j'avais contacté une de mes sœurs ou mon frère, à la recherche d'une oreille et d'une voix contre les cyclones de la honte, c'était lors de ~~ma Dépression~~ mon Éveil Spirituel, en 2007. Je suis de quatre ans l'aînée de mon frère et de huit ans l'aînée de mes sœurs (qui sont jumelles). Avant 2007, j'avais pourtant acquis l'habitude d'être la sœur aînée parfaite (conduite exemplaire et intégrité morale, meilleure que, et fort avisée).

Ashley fut extraordinaire. Elle a écouté et réagi avec une totale compassion. Elle a eu le courage de puiser dans sa propre bataille avec la dignité afin de pouvoir intimement comprendre ce que je vivais alors. Elle a dit des paroles merveilleusement empathiques et honnêtes comme: «Oh, mets-en! C'est tellement dur. Je l'ai déjà vécu. Je déteste me sentir comme ça!» Ce n'était peut-être pas ce que quelqu'un d'autre aurait eu besoin d'entendre, mais pour moi, c'était le meilleur.

Ashley ne s'est pas sentie désemparée ni ne s'est laissé entraîner dans ma propre tempête. Elle ne s'est pas mise non plus à brandir le marteau du jugement et du blâme. Elle n'a pas essayé de me faire penser à autre chose ou de me faire sentir mieux; elle m'a simplement écoutée et a eu le courage de partager avec moi quelques-unes de ses propres vulnérabilités.

Je me suis sentie complètement exposée, mais en même temps totalement aimée et acceptée (la définition même de la compassion, selon moi). Croyez-moi quand je vous dis que la honte et la peur ne supportent pas ce genre de connexion puissante qui surgit entre deux personnes. C'est la raison pour laquelle nous devons utiliser les outils que sont le courage, la compassion et la connexion pour tendre vers une vie sans réserve. De surcroît, le fait d'avoir laissé une personne chère me voir comme étant imparfaite nous a permis de solidifier notre relation qui se poursuit encore aujourd'hui – voilà pourquoi je dis que le courage, la compassion et la connexion sont les grâces de l'imperfection. Lorsque nous sommes prêts à accepter d'être vrais et imparfaits, ces grâces continuent de nous combler.

La suite rapide de mon histoire: Environ une semaine après cette conférence aux allures de match de lutte, j'ai découvert que l'école en question était aux prises avec un problème de rôdeurs, pour ainsi dire: les parents étaient dans les classes toute la journée, ce qui interférait avec l'enseignement et la gestion de classe. Sans me mettre au courant, la directrice et le président de l'association parents-enseignants avaient spécifiquement demandé à ces parents d'assister à ma conférence, en leur précisant que je leur expliquerais pourquoi ils devaient cesser de rôder dans les classes. Autrement dit, j'assumais sans le savoir un rôle de parent-parachuté. Mauvais signe. J'ai beau ne pas préconiser le fait de rôder dans les salles de classe, je ne suis pas non plus un tueur à gages des mauvaises habitudes parentales. Le plus iro-

nique, c'est que je n'ai pas dit un seul mot sur ce problème durant ma conférence puisque je n'avais aucune idée que cette école vivait ce problème.

Maintenant, à la lumière de ce récit, examinons de plus près chacune des notions de la vie sans réserve et voyons comment elles fonctionnent ensemble.

Le courage

Le courage est un thème central dans ma vie : soit je prie pour en avoir, soit je suis reconnaissante d'en avoir ne serait-ce qu'un peu, soit je l'apprécie chez les autres, soit je l'étudie. Je ne pense pas que ça fasse de moi quelqu'un d'unique. Tout le monde veut être brave.

Après avoir interviewé de nombreuses personnes au sujet des vérités qui habitent leur vie – leurs forces et leurs faiblesses –, j'ai pris conscience que le courage est une des qualités les plus importantes que les gens qui vivent sans réserve ont en commun. Et pas seulement n'importe quel genre de courage ; je me suis rendu compte qu'une vie sans réserve requiert un *courage ordinaire*. Voici ce que je veux dire…

La racine du mot *courage* est *cor* : c'est le mot latin pour *cœur*. Dans une de ses plus anciennes significations, le mot *courage* tenait d'une définition fort différente de celle que nous en avons aujourd'hui. À l'origine, le courage était pour quelqu'un « l'acte de s'ouvrir à l'autre avec toute la disposition de son cœur ». Au fil du temps, cette définition a changé, à ce point que nous tendons davantage à l'associer, aujourd'hui, avec ce qui est héroïque. Les faits héroïques sont inestimables et assurément nous avons besoin de héros, mais je pense que nous avons perdu de vue que parler sincèrement et ouvertement à propos de qui on est, à propos de ce que l'on sent, et au sujet de nos expériences (bonnes et mauvaises), représente la définition première du courage. Être héroïque, c'est souvent risquer sa vie. Le courage ordinaire, c'est risquer sa propre *vulnérabilité*. Dans le monde actuel, c'est une chose assez extraordinaire[3].

Pour peu que nous soyons attentifs, nous voyons du courage tous les jours. Nous en sommes témoins lorsque les gens demandent une écoute, tel que je l'ai fait avec Ashley. Je le sens aussi dans mes classes quand une étudiante lève sa main et me dit : «Je suis vraiment perdue. J'ai beaucoup de misère à vous suivre.» Savez-vous à quel point il est courageux de dire : «Je n'en ai aucune idée» alors que vous êtes à peu près certain que tout le monde autour de vous comprend et suit parfaitement? Bien sûr, après plus d'une douzaine d'années à enseigner, je sais maintenant que lorsqu'un étudiant prend son courage à deux mains pour me dire «Vous m'avez perdu», il y a probablement au moins dix autres étudiants qui sont tout aussi perdus. Ceux-là ne prendront peut-être pas le risque de le dire, mais le courage de l'étudiant qui aura levé la main les servira grandement.

J'ai aussi remarqué le courage de ma fille, Ellen, quand elle m'a téléphoné à 22 h 30, après une soirée-pyjama chez une copine où elle était censée coucher, pour me demander : «Maman, peux-tu venir me chercher?» Je suis allée la chercher, elle est entrée dans l'auto et m'a dit : «Je suis désolée. Je n'ai pas été assez brave. Je m'ennuyais de chez moi. C'était difficile. Tout le monde dormait, et j'ai dû me rendre jusqu'à la chambre de la maman de Libby et la réveiller.»

Une fois devant notre maison, j'ai stationné la voiture, j'en suis sortie et j'ai ouvert la portière arrière pour m'asseoir à côté d'Ellen. Je lui ai dit : «Ellen, je pense que demander ce dont tu as

---

3. Je ne suis pas certaine de l'origine de l'expression «courage ordinaire», mais je l'ai découverte dans un article sur les femmes et les jeunes filles par la chercheuse Annie Rogers.

besoin est une des choses les plus braves que tu puisses faire. J'ai déjà passé de très mauvaises nuits après des soirées-pyjama parce que je n'osais pas demander qu'on me reconduise à la maison. Je suis fière de toi. »

Le lendemain matin pendant le petit-déjeuner, Ellen s'est ouverte à moi : « J'ai repensé à ce que tu m'as dit hier soir. Puis-je être brave encore et demander quelque chose d'autre ? » J'ai souri. « J'ai une autre soirée avec mes amies la fin de semaine prochaine. Pourrais-tu venir me prendre avant le couvre-feu ? Je ne suis pas encore prête pour dormir ailleurs. » Voilà ce qu'est le courage. Le genre que nous gagnerions tous à vivre plus souvent.

Je vois aussi du courage en moi-même quand je prends le risque d'être vulnérable et déçue. Pendant des années, lorsque je désirais intensément quelque chose (être invitée à parler lors d'une conférence spéciale, recevoir une promotion, faire une entrevue à la radio), je feignais un peu l'indifférence. Si un ami ou un collègue me demandait : « Et puis, attends-tu avec impatience cette entrevue à la télévision ? », je haussais les épaules en disant : « Pas tant que ça. Ce n'est pas si important. » Naturellement, au fond de moi-même, je priais pour que tout fonctionne et arrive.

C'est seulement au cours des dernières années que j'ai appris que minimiser son enthousiasme à l'idée d'un truc excitant n'enlève pas la douleur qu'on éprouve lorsque nos désirs ne se réalisent pas. Cela ne fait que rabaisser la joie lorsqu'ils se réalisent. Cela crée aussi beaucoup d'isolement, car une fois que vous avez mis en sourdine l'importance de quelque chose, vos amis sont moins susceptibles de vous appeler pour vous dire : « Je suis désolé que ça n'ait pas marché. Je savais à quel point tu y tenais. »

Désormais, quand quelqu'un me met au courant d'une occasion potentielle qui m'enchante, j'incline davantage à pratiquer le courage et à dire : « Cette possibilité me ravit tellement. J'essaie de rester réaliste, mais j'espère vraiment que ça arrivera. » Si cela ne tourne pas comme prévu, je sais pour l'avoir déjà fait que c'est réconfortant d'appeler un bon ami pour lui annoncer : « Tu te souviens de cet événement dont je t'ai parlé ? Eh bien, ça ne marchera pas en fin de compte, et je suis tellement déçue. »

J'ai récemment été témoin d'un autre exemple de courage à la maternelle de mon fils Charlie. Les parents étaient conviés au spectacle de musique de Noël préparé par les enfants. Vous connaissez probablement le topo : vingt-cinq enfants chantent devant un auditoire d'une cinquantaine de parents, grands-parents, frères et sœurs tenant trente-neuf caméras vidéo. Les parents tendaient les caméras dans les airs et prenaient des photos au hasard en s'assurant de se faire voir et entendre par leurs enfants pour leur faire savoir qu'ils étaient bien ici et à l'heure.

En plus de toute cette agitation parmi les spectateurs, une petite fille de trois ans, qui était nouvelle dans la classe, a pleuré pendant tout le spectacle parce qu'elle n'apercevait pas sa mère depuis la scène improvisée. Comme de fait, sa maman était coincée dans la circulation et a raté tout le spectacle. Lorsque la mère est finalement arrivée, j'étais agenouillée près de la porte de la classe pour dire au revoir à Charlie. De mon point de vue favorable, j'ai regardé la mère de cette fillette se précipiter dans la pièce et se mettre aussitôt à balayer la pièce du regard pour trouver sa petite fille. Au moment où j'allais me relever pour lui indiquer le fond de la classe où un professeur tenait compagnie à sa fille, une autre mère est passée près de nous, a toisé la femme visiblement agitée, a secoué la tête en signe de désapprobation et a roulé les yeux.

Une fois debout, j'ai pris une grande respiration, et j'ai essayé de raisonner la partie de moi-même qui avait envie de poursuivre cette mère je-suis-mieux-que-toi-et-je-roule-des-yeux et de lui botter son plus-que-ponctuel derrière. Tout à coup, deux autres mères sont allées voir la femme qui s'était mise à pleurer et lui ont souri. L'une d'entre elles a mis la main sur son épaule et lui a dit: «Ça nous est toutes déjà arrivé. J'ai raté le spectacle d'avant. Je n'étais même pas en retard, j'avais juste complètement oublié.» J'ai vu le visage de cette pauvre mère s'adoucir, alors qu'elle essuyait une larme. La deuxième des mères l'a regardée à son tour en lui confiant: «Mon fils était le seul qui ne portait pas de pyjama lors de la journée-pyjama; encore aujourd'hui, il me dit que ce fut la pire journée de sa vie. Ça va aller. On est toutes dans le même bateau.»

Tandis que cette pauvre mère se dirigeait vers le fond de la pièce où le professeur réconfortait toujours la petite, elle semblait s'être calmée. Je suis certaine qu'un baume apaisait déjà son cœur quand sa fille s'est précipitée dans ses bras. Les deux mères qui s'étaient arrêtées pour partager leurs expériences d'imperfection et de vulnérabilité ont exercé leur courage. Elles ont pris le temps d'arrêter et de dire: «Voici mon histoire. Vous n'êtes pas seule.» Elles n'étaient pas obligées de s'arrêter et de partager ainsi avec la mère en retard; elles auraient tout aussi bien pu rejoindre la parade du parent-parfait et l'ignorer.

Comme le montrent ces anecdotes, le courage produit l'effet ondulatoire d'un caillou qui tombe dans l'eau. Chaque fois que nous choisissons le courage, nous rendons les gens autour de nous un peu meilleurs et le monde, un peu plus brave. Et notre monde ne s'en porterait que mieux d'être un peu plus gentil et un peu plus brave.

La compassion

En préparation à l'écriture de mon livre sur la honte, j'ai lu tout ce qui m'est tombé sous la main au sujet de la compassion. J'en suis arrivée à constater une puissante corrélation entre les histoires que j'avais entendues en entrevue et le travail de la moniale bouddhiste américaine Pema Chödrön. Dans son livre *Les Bastions de la peur*, Chödrön écrit: «Quand on s'exerce à générer de la compassion, on doit s'attendre à sentir la peur de sa propre douleur. Pratiquer la compassion est audacieux. Cela demande d'apprendre à se détendre et à se laisser avancer tout doucement vers ce qui nous fait peur[4].»

Ce que j'aime beaucoup dans la définition de Chödrön, c'est qu'elle dit honnêtement ce qu'il y a de vulnérable à pratiquer la compassion. En examinant de plus près l'étymologie du mot *compassion*, tout comme nous l'avons fait avec la définition de *courage*, il nous est plus facile de comprendre pourquoi la compassion n'est habituellement pas notre première réaction face à la souffrance. Le mot *compassion* est dérivé des mots latins *pati* et *cum*, lesquels signifient «souffrir avec». Je ne crois pas que la compassion soit notre réaction par défaut. Je pense que notre première réaction à la douleur (la nôtre ou celle d'un autre), c'est de nous autoprotéger. Nous nous protégeons en cherchant qui ou quoi blâmer. Ou parfois nous érigeons un bouclier en choisissant de juger ou de nous mettre immédiatement en mode «réparer».

Lorsque Chödrön aborde notre tendance à l'autoprotection, elle nous enseigne à voir avec honnêteté et indulgence quand et comment nous nous fermons: «Lorsque nous cultivons la compassion, nous puisons dans le bagage de toutes nos expériences:

---

4. Pema Chödrön, *The Places That Scare You: A Guide to Fearlessness in Difficult Times* (Boston: Shambhala Publications, 2001).

nos souffrances et notre empathie, aussi bien que notre cruauté et notre terreur. Il faut qu'il en soit ainsi. La compassion n'est pas une relation entre le soigneur et son blessé, c'est une relation entre égaux. C'est seulement lorsque nous connaissons nos propres ténèbres que nous pouvons accompagner celles des autres. La compassion devient véritable lorsque nous reconnaissons notre humanité commune[5] ».

Dans mon histoire, ma sœur Ashley était prête à me tenir la main dans mes ténèbres. Elle n'était pas là pour me guérir ou me remettre en place; elle était simplement avec moi – comme une égale – tenant ma main pendant que je pataugeais péniblement dans mes états d'âme.

Frontières et compassion

Un des obstacles les plus tenaces (et les moins discutés) à la pratique de la compassion est la peur d'instaurer des frontières et de tenir les gens responsables. Je sais que ça sonne bizarre, mais je crois que le fait de comprendre le lien entre les frontières, la responsabilité, l'acceptation et la compassion a fait de moi une personne plus indulgente. Avant ma dépression, j'étais plus gentille – portée à juger, rancunière et pleine de ressentiment à l'intérieur – mais plus gentille de l'extérieur. Aujourd'hui, je pense avoir plus de véritable compassion, être moins prompte au jugement et moins rancunière, et plus sérieuse que jamais à propos des frontières. Je ne sais pas du tout ce que cette combinaison dégage vue de l'extérieur, mais elle s'avère puissante intérieurement.

Avant cette recherche, j'en savais beaucoup sur chacun de ces concepts, mais je n'arrivais pas à comprendre leurs interactions. Durant mes entrevues, je fus abasourdie de constater

---

5. Ibid.

que nombre des personnes qui pratiquaient sincèrement la compassion étaient également celles qui s'avisaient le plus d'établir des frontières. J'étais proprement stupéfaite.

Voici ce que j'ai appris : au cœur de la compassion se trouve bel et bien l'acceptation. Plus nous arrivons à nous accepter nous-mêmes ainsi que les autres, plus la compassion nous habite. Cela dit, il est difficile d'accepter les gens quand ils nous blessent, profitent de nous, ou nous marchent dessus. Cette recherche m'a enseigné que si nous voulons réellement pratiquer la compassion, nous devons commencer par définir des frontières et tenir les gens responsables de leur comportement.

Nous vivons dans une culture du blâme : nous voulons savoir à qui est la faute et comment cette personne en paiera le prix. Dans nos mondes personnel, social et politique, nous aimons pointer du doigt et crier au scandale, mais rarement tenir les gens responsables. Comment le pourrions-nous? Nous sommes tellement épuisés de nous emporter que nous n'avons pas l'énergie pour établir des conséquences significatives et les appliquer. Depuis le gouvernement et le monde des affaires jusqu'à nos propres écoles et nos propres maisons, je pense que cette mentalité de condamner-reprocher-trop-fourbu-et-trop-occupé-pour-poursuivre-jusqu'au-bout est la raison pour laquelle nous sommes si portés à la colère moralisatrice et si peu à la compassion.

Ne vaudrait-il pas mieux avoir plus de bonté, mais aussi plus de fermeté? Combien différente serait notre vie si elle se nourrissait de moins de colère et plus de responsabilité? À quoi ressembleraient notre travail et notre vie à la maison si nous blâmions moins et avions plus de respect pour les frontières?

Je fus récemment invitée à discuter avec des patrons d'entreprise qui essayaient tant bien que mal de procéder à une difficile réorganisation de leur compagnie. Un des directeurs de projet m'a dit que, après m'avoir écoutée parler des risques qu'il y avait à utiliser la honte comme outil de gestion, il avait peur d'avoir humilié ses partenaires d'équipe. Il m'a confié que, lorsqu'il en avait vraiment marre, il apostrophait quelqu'un et critiquait son travail pendant les réunions d'équipe.

Il a expliqué : «Je suis tellement frustré. J'ai deux employés qui n'écoutent simplement pas. Je leur précise chaque détail d'un projet, je m'assure de m'être fait bien comprendre, mais ils n'en font *quand même* qu'à leur tête. Je ne sais plus quoi faire. Je me sens acculé au pied du mur et en colère, alors je les rabaisse devant leurs collègues.»

Quand je lui ai demandé comment il tenait ces deux employés responsables de ne pas suivre le protocole du projet, il a répondu : «Que voulez-vous dire par responsables?»

J'ai dit : «Une fois que vous avez vérifié avec eux s'ils saisissent bien vos attentes et vos objectifs, comment leur expliquez-vous les conséquences de ne pas suivre le plan ou de ne pas répondre aux objectifs attendus?»

Il a admis : «Je ne parle pas des conséquences. Ils savent qu'ils doivent respecter le protocole.»

Je lui ai donné un exemple : «D'accord. Qu'arriverait-il si vous leur disiez que la prochaine fois qu'ils transgressent le protocole, vous allez l'inscrire au procès-verbal ou leur donner un avertissement officiel et que, s'ils continuent, ils vont perdre leur emploi?»

Il a secoué la tête et répondu : «Oh, non. C'est plutôt sérieux ça. J'aurais à impliquer les personnes des ressources humaines là-dedans. Ça serait toute une pagaille.»

Établir des frontières et tenir les gens pour responsables exige davantage d'efforts qu'humilier et faire des reproches. Mais c'est aussi infiniment plus efficace. Humilier et blâmer sans la responsabilité est toxique pour les couples, les familles, les compagnies, les communautés. Tout d'abord, quand nous humilions et blâmons, le focus est détourné du comportement remis en question à l'origine vers notre propre comportement. Lorsque ce patron a fini de rabaisser et de blâmer ses deux employés devant leurs collègues, c'est son comportement à lui qui devient le comportement remis en question.

En outre, lorsque nous n'appliquons pas les conséquences appropriées, les autres apprennent à balayer de la main nos demandes, même si celles-ci prennent des allures de menaces ou d'ultimatums. Si nous prions nos enfants de ne pas laisser traîner leurs vêtements sur le plancher et qu'ils savent que l'unique conséquence de ne pas le faire est quelques minutes d'engueulade, ils ont raison de croire que ce n'est pas si important pour nous.

Il nous est difficile de comprendre que nous pouvons être totalement empathiques et ouverts tout en tenant les gens responsables de leurs comportements. C'est possible et, en fait, c'est le meilleur moyen d'y arriver. Il est parfaitement possible de confronter quelqu'un sur son comportement, de congédier un employé, de faire échouer un étudiant ou de discipliner un enfant sans avoir à l'admonester ou à l'humilier. La clé est de séparer la personne de ses comportements, d'aborder ce qu'ils font et non ce qu'ils sont (j'en parlerai plus en détail dans le prochain chapitre). Il est également important d'assumer le malaise que nous éprouvons à faire chevaucher compassion et frontières. Nous devons éviter de nous convaincre que nous détestons quelqu'un ou qu'il mérite d'avoir des remords dans le seul but de nous sentir mieux de le tenir responsable. Cela ne peut qu'envenimer une situation. Lorsque nous nous laissons aller à ne pas aimer quelqu'un afin de nous sentir plus à l'aise de le tenir responsable, nous tombons dans le piège du blâme et de la honte.

Quand nous échouons à établir des frontières et à tenir les gens responsables, nous nous sentons utilisés, maltraités. C'est pourquoi nous répliquons parfois en attaquant qui ils sont, ce qui est de loin plus blessant que de remettre en question un comportement ou un choix. Pour notre propre bien, nous devons comprendre qu'il est dangereux pour nos relations et pour nous-mêmes de s'embourber dans le blâme et l'humiliation, ou d'être imbus de colère bien-pensante. Il est d'ailleurs impossible de pratiquer la compassion lorsque le ressentiment couve. Si nous voulons cultiver l'acceptation et l'empathie, les frontières et la responsabilité sont nécessaires.

La connexion

Je définis *la connexion* comme *étant l'énergie qui existe entre deux personnes lorsqu'elles se sentent vues, entendues et valorisées; quand elles peuvent donner et recevoir sans jugement; et quand elles tirent substance et force de cette relation même.*

Ma sœur Ashley et moi nous sentions profondément connectées après notre expérience. Je savais que j'avais été vue, entendue et valorisée. Même si c'était angoissant, j'ai été capable d'entrer en contact à la recherche d'aide et de soutien. Et cela nous a redonné force et satisfaction à toutes les deux. En fait, quelques semaines plus tard, Ashley m'a confié : « Je ne peux pas te dire à quel point je suis contente que tu m'aies appelée l'autre jour. Cela m'a tellement soulagée de savoir que je n'étais pas la seule à faire des choses comme ça. J'adore aussi savoir que je peux t'aider et que tu me fais confiance. » Connexion engendre connexion.

En vérité, l'être humain est programmé pour la connexion. C'est dans sa biologie. Dès notre naissance, nous avons besoin de connexion pour nous épanouir émotionnellement, physiquement, spirituellement et intellectuellement. Il y a dix ans, cette idée que nous sommes «programmés pour la connexion» aurait pu être jugée un peu mièvre ou Nouvel Âge. Aujourd'hui, nous savons que ce besoin de contact profond dépasse le sentiment ou l'intuition. C'est de la science pure. De la neuroscience, pour être exacte.

Dans son livre *Cultiver l'intelligence relationnelle*, Daniel Goleman analyse comment les plus récentes trouvailles en biologie et en neuroscience confirment que nous sommes configurés pour la connexion, et que nos relations façonnent notre biologie autant que nos expériences. Goleman écrit: «Même nos rencontres les plus routinières agissent comme des régulateurs dans le cerveau, lesquels amorcent nos émotions, certaines désirables, d'autres non. Plus on est émotionnellement connectés à quelqu'un, plus la force mutuelle est grande[6].» Il est extraordinaire – quoique peut-être pas surprenant – que la connexion que nous vivons dans nos relations ait à ce point un impact sur la manière dont notre cerveau se développe et fonctionne.

Notre besoin inné de connexion rend d'autant plus réelles et dangereuses les conséquences de la déconnexion. Parfois nous *pensons* que nous sommes connectés. La technologie, par exemple, est devenue quelque chose comme un imposteur de la connexion, nous faisant croire que nous sommes connectés quand nous ne le sommes pas du tout: du moins pas de la manière dont nous avons besoin. Dans notre monde qui carbure à la technologie, nous avons confondu la simple communication avec un sentiment de connexion. Être branché sur un objet technologique ne veut pas dire qu'on se sent vu et entendu. En vérité, l'hyper-communication peut vouloir dire que nous passons sur Facebook plus de temps que nous en passons en face-à-face avec les gens qui nous sont chers. Je ne saurais vous

---

6. Daniel Goleman, *Social Intelligence: The New Science of Human Relationships* (New York: Random House / Bantam Dell, 2006).

dire combien de fois j'ai vu, en entrant dans un restaurant, des parents converser chacun au téléphone cellulaire pendant que leurs enfants étaient occupés à texter ou à jouer à des jeux vidéo. À quoi cela sert-il alors de s'asseoir ensemble?

Pendant que nous pensons à la définition de la connexion et sa facile confusion avec la technologie, il nous faut également envisager de déconstruire le mythe de l'autosuffisance. Un des plus gros obstacles à la connexion est la valorisation culturelle qu'on associe au choix de «faire cavalier seul». On en est arrivés à faire rimer le succès avec le fait de n'avoir besoin de personne. Beaucoup d'entre nous sont prêts à tendre une main aidante mais ils sont réticents à demander de l'aide quand ils en ont eux-mêmes besoin, quasiment comme si le monde était divisé en deux groupes: «ceux qui offrent leur aide» et «ceux qui ont besoin d'aide». La vérité, c'est que chacun appartient aux deux groupes.

J'ai appris énormément de choses sur la cohabitation donner-recevoir des hommes et des femmes qui essaient de vivre une vie sans réserve, mais rien de plus important que ceci:

> *Tant qu'on ne peut pas recevoir avec un cœur ouvert, on ne peut jamais réellement donner avec un cœur ouvert. Quand on porte un jugement sur le fait de recevoir de l'aide, on porte un jugement, conscient ou non, sur le fait de donner de l'aide.*

Pendant des années, j'ai valorisé mon rôle de celle qui aidait dans ma famille. Je pouvais calmer une crise ou prêter de l'argent ou donner des conseils. J'étais toujours contente d'aider les autres, mais jamais je n'aurais appelé ma famille pour leur demander de l'aide, en particulier du soutien lors d'un orage de la honte. À l'époque, j'aurais catégoriquement nié que j'assortissais ma générosité d'un jugement. Mais maintenant, je comprends comment le fait de n'avoir jamais besoin d'aide et de toujours en offrir nourrissait ma perception de ma propre valeur.

Pendant ma dépression, j'ai eu besoin d'aide. J'ai eu besoin de soutien et de conseils. Dieu merci! Le fait de m'être tournée vers mon frère et mes sœurs cadets a totalement modifié la dynamique de notre famille. J'ai obtenu la permission de tomber et d'être imparfaite, et chacun a pu partager sa force et son incroyable sagesse avec moi. Si la connexion est l'énergie qui jaillit entre les personnes, nous devons nous rappeler que ce jaillissement doit voyager dans les deux directions.

Le chemin vers une vie sans réserve n'est pas le moindre des chemins. C'est une route de conscience et de choix. Et, honnête-ment, c'est un peu à contre-culture. Être prêt à dire son histoire, à ressentir la souffrance des autres et à rester sincèrement con-necté dans ce monde déconnecté ne se fait pas du bout des lèvres et à moitié.

Pratiquer le courage, la compassion et la connexion, c'est regarder la vie et les gens autour de nous, puis dire: «J'y suis avec tout ce que je suis.»

♥

Explorer le pouvoir de l'amour, de l'appartenance et du sentiment d'être à la hauteur

> *L'amour est la chose la plus importante dans notre vie,*
> *une passion pour laquelle nous serions prêts à nous*
> *battre ou à mourir, et pourtant nous sommes réticents*
> *à nous attarder sur les noms qu'on lui donne.*
> *Sans un vocabulaire souple, nous ne pouvons*
> *même pas en parler ou y penser directement.*
>
> — DIANE ACKERMAN

L'amour et le sentiment d'appartenance sont essentiels à l'expérience humaine. Tandis que je menais mes entrevues, je me suis rendu compte qu'*une seule chose* distinguait les êtres qui ressentaient à fond l'amour et le sentiment d'appartenance de ceux qui semblaient se battre pour les obtenir. Cette chose est la croyance en leur propre valeur. C'est aussi simple et complexe que ceci: si nous voulons vivre pleinement l'amour et l'appartenance, nous devons avoir la croyance que nous sommes *dignes* d'amour et d'appartenance.

Quand nous arrivons à lâcher prise sur ce que les autres pensent et à nous approprier notre propre histoire, nous tenons les clés de notre propre dignité: ce sentiment qui nous amène à croire que nous sommes à la hauteur tels que nous sommes, et dignes d'amour et d'appartenance. Si nous passons notre vie à repousser les aspects qui ne correspondent pas à ce que nous croyons que nous «devrions» être au regard d'autrui, nous demeurons à l'extérieur de notre histoire et nous passons notre temps à revendiquer notre mérite en accomplissant, en perfectionnant, en plaisant et en prouvant constamment. Or, le sentiment de notre propre dignité – cet élément d'une importance capitale qui nous conduit au sentiment d'amour et d'appartenance – vit à l'intérieur de notre histoire.

Pour la plupart d'entre nous, le plus grand défi est de croire à leur dignité, *maintenant*, à l'instant même. La dignité n'est pas une affaire de préalables. Très souvent, on a consciemment produit ou inconsciemment permis/accepté une longue liste de prérequis méritoires :

- Je serai digne lorsque j'aurai perdu vingt livres.
- Je serai digne si je peux enfin être enceinte.
- Je serai digne si je peux devenir/rester sobre.
- Je serai digne si tout le monde pense que je suis un bon parent.
- Je serai digne lorsque je pourrai vivre de mon art.
- Je serai digne si je peux réussir mon mariage.
- Je serai digne quand je trouverai un client.
- Je serai digne lorsque mes parents m'approuveront enfin.
- Je serai digne s'il me rappelle et me demande de sortir avec lui.
- Je serai digne lorsque je pourrai tout faire sans même avoir l'air d'essayer.

Voici ce qui se trouve au *cœur* d'une vie sans réserve : je suis digne maintenant. Pas si. Pas quand. Nous sommes dignes d'amour et d'appartenance *maintenant*. À l'instant même. Tels que nous sommes.

En plus d'écarter les *si* et les *quand*, une partie importante de la solution pour nous approprier notre histoire et nous réclamer notre dignité est de développer une meilleure compréhension de l'amour et de l'appartenance. Ce qui est curieux, c'est que nous avons désespérément besoin des deux, mais nous en parlons rarement et ne savons pas vraiment ce qu'ils sont et comment ils fonctionnent. Jetons-y un coup d'œil.

Définir l'amour et l'appartenance

Pendant des années, je me suis abstenue d'utiliser le mot *amour* dans ma recherche parce que je ne savais pas comment le définir, et je n'étais pas certaine qu'une définition telle que «Voyons, vous savez bien, *l'amour*» tiendrait la route. Je ne pouvais pas non plus me fier à des citations ou à des paroles de chanson, aussi inspirantes et révélatrices puissent-elles être pour moi. Ce n'est pas ma formation comme chercheuse.

Autant nous avons besoin d'amour et en désirons, autant nous ne passons pas beaucoup de temps à discuter de ce que ça veut dire. Pensez-y. Vous dites peut-être «Je t'aime» à chaque jour, mais à quand remonte la dernière fois où vous avez eu une conversation franche à propos du sens de l'amour? À cet égard, l'amour est l'image inversée de la honte. Nous évitons à tout prix de vivre la honte et nous ne sommes pas friands d'en parler. Pourtant, le seul moyen de résoudre la honte est d'en parler. Peut-être avons-nous peur de sujets comme la honte et l'amour. La majorité d'entre nous aiment la sécurité, la certitude, la transparence. Or, la honte et l'amour prennent leurs racines dans la vulnérabilité et la tendresse.

Le sentiment d'appartenance est un autre de ces piliers essentiels à l'existence humaine mais rarement discuté.

En général, on croit que les termes *intégration* et *appartenance* sont interchangeables et, comme beaucoup d'entre vous, je suis très bonne pour m'intégrer. Nous savons tous comment parvenir à obtenir l'approbation et l'acceptation. Nous savons comment nous vêtir, de quoi parler, comment rendre les autres heureux, et quoi encore. Nous savons traverser la journée tel un caméléon.

Une des plus frappantes surprises dans ma recherche a été d'apprendre qu'*appartenance* et *intégration* ne sont pas la même chose et que, en réalité, l'intégration obstrue l'appartenance. S'intégrer veut dire évaluer une situation et devenir ce que vous devez être pour être accepté. L'appartenance, elle, ne nous demande pas de *changer* qui on est; au contraire, elle nous appelle à *être* ce que nous sommes déjà.

Avant de partager mes définitions avec vous, j'aimerais mentionner trois problématiques que j'ose appeler des vérités.

L'amour et l'appartenance seront toujours incertains. Même si la connexion et les relations humaines incarnent des composantes cruciales de la vie, nous ne pouvons simplement *pas* les mesurer avec précision. Les concepts relationnels ne se traduisent pas dans un cahier à choix multiples de réponses. Connexion et relation se produisent dans un espace indéfini entre les gens, un espace qu'on ne connaîtra ou ne comprendra jamais tout à fait. Chaque personne qui se risque à expliquer l'amour et l'appartenance fait de son mieux pour répondre à une question sans réponse. Moi incluse.

L'amour est indistinct de l'appartenance. Une des choses les plus surprenantes que ma recherche m'a révélées est l'association de certains mots. Je ne peux pas séparer les concepts d'amour et d'appartenance, car lorsque les gens mentionnaient l'un des deux, ils parlaient toujours de l'autre. Il en va de même pour les concepts de joie et de reconnaissance, que j'explorerai plus en détail dans un autre chapitre. Quand les émotions ou les expériences sont si étroitement tissées dans le récit des gens qu'ils ne parlent pas de l'un sans parler de l'autre, il ne s'agit pas d'une coïncidence, c'est un lien voulu. L'amour est indistinct de l'appartenance.

De cela, maintenant, j'en suis certaine. Après avoir colligé des milliers d'histoires, je suis même d'accord pour appeler cela un fait : **un profond sentiment d'amour et d'appartenance est un besoin irréductible de tous, femmes, hommes, enfants.** Nous sommes biologiquement, cognitivement, physiquement et spirituellement configurés pour aimer, pour être aimés, de même que pour éprouver un sentiment d'appartenance. Lorsque ces besoins ne sont pas satisfaits, on ne fonctionne pas comme on le devrait. On est en morceaux. On s'effondre. On ne se reconnaît plus. On ne sent plus. On a mal. On blesse les autres. On tombe malade. Il y a évidemment d'autres causes qui produisent la maladie, l'indifférence et le mal-être, mais l'absence d'amour et d'appartenance conduira toujours à la souffrance.

Il m'a fallu trois ans pour peaufiner ces définitions et ces concepts qui sont le fruit d'une décennie d'entrevues. Regardons-y de plus près.

L'amour :

On cultive l'amour quand on laisse voir et connaître son individualité la plus vulnérable et la plus forte, et quand on honore la connexion spirituelle qui germe de ce don avec confiance, respect, tendresse et affection.

L'amour n'est pas quelque chose qu'on donne ou qu'on reçoit; l'amour est une plante qu'on nourrit et qui grandit, une connexion qui peut seulement être cultivée entre deux personnes lorsqu'elle existe au plus profond de chacune : l'amour qu'on a pour les autres se mesure à l'amour qu'on a pour soi-même.

La honte, le blâme, l'irrespect, la trahison et l'absence d'affection endommagent les racines qui nourrissent l'amour. L'amour ne peut survivre à ces blessures que si elles sont reconnues, guéries, et rares.

Le sentiment d'appartenance :

L'appartenance est le désir humain inné de faire partie de quelque chose plus grand que soi. Parce que ce désir ardent est si primordial, on essaie souvent de le combler en s'intégrant et en cherchant l'approbation, ce qui est non seulement un pâle substitut de l'appartenance, mais souvent aussi une barrière à celle-ci. Comme l'appartenance véritable ne se vit que si on ouvre son être authentique et imparfait au monde, notre sentiment d'appartenance ne peut jamais être plus grand que notre degré d'acceptation de soi.

Une des raisons qui expliquent que j'ai pris autant de temps à élaborer ces concepts, c'est que, souvent, je ne veux pas qu'ils soient vrais. Ce serait une tout autre histoire si j'étudiais l'effet des fientes d'oiseaux sur un terreau, mais ce n'est pas le cas. Les concepts de l'amour et de l'appartenance sont personnels et souvent douloureux. Parfois, quand je fouillais dans mes données pour tailler des définitions comme celles ci-dessus, je pleurais. Je ne voulais pas que mon degré d'acceptation de moi-même puisse limiter mon amour pour mes enfants ou mon mari. Pourquoi? Parce que les aimer et accepter leurs imperfections est beaucoup plus facile que de braquer cette lumière d'amour et de tendresse sur moi-même.

Si vous examinez la définition de l'amour et que vous vous demandez ce qu'elle veut dire en termes d'amour de soi, c'est très spécifique. Pratiquer l'amour de soi veut dire apprendre comment se faire confiance, se traiter avec respect, se montrer indulgent et affectueux envers soi-même. Il s'agit d'un travail de taille quand on sait à quel point on est souvent dur envers soimême. De fait, je sais que je peux me parler sur un ton que je ne penserais jamais utiliser avec une autre personne. Ne sommesnous pas nombreux à être rapides à se dire *Mon Dieu, que je suis stupide* et *Quel idiot je suis*? Autant ce n'est pas compatible avec l'amour de traiter d'imbécile un être cher, autant c'est néfaste pour notre amour de soi.

Il est utile de noter que j'utilise les mots *primordial* et *inné* dans ma définition du sentiment d'appartenance. Je suis persuadée que l'appartenance est au cœur de notre ADN, probablement connectée à notre instinct de survie le plus primitif. Puisqu'il est si difficile de cultiver l'acceptation de soi dans une société perfectionniste, et parce que notre besoin d'appartenance est programmé, ce n'est pas surprenant que nous passions notre vie à essayer de nous intégrer dans l'approbation d'autrui.

Il est tellement plus facile de dire: «Je serai tout ce que tu me demandes d'être à condition que je me sente en faire partie.» Depuis les gangs jusqu'aux microcosmes de commères, nous ferons tout ce qu'il faut pour nous intégrer si nous croyons que cela nous conférera un sentiment d'appartenance. Malheureusement, cela ne nous apporte rien. On ne peut véritablement éprouver de l'appartenance que si on expose son soi authentique et qu'on nous prend pour qui on est.

Pratiquer l'amour et l'appartenance

*Commencer par toujours voir l'amour comme
une action plutôt qu'un sentiment permet à chacun
qui utilise le mot de cette manière d'assumer
automatiquement la responsabilité.*

– BELL HOOKS[7]

Même si les définitions d'amour et d'appartenance m'ont personnellement et professionnellement donné bien du fil à retordre, je dois admettre qu'ils ont changé du tout au tout ma façon de vivre et de remplir mon rôle de parent. Lorsque je suis fatiguée ou nerveuse, je peux être désagréable et portée à blâmer, surtout envers mon mari, Steve. Si j'aime sincèrement Steve (oh, que oui), alors la façon dont je me comporte chaque jour est aussi importante, sinon plus, que de lui dire «Je t'aime» quotidiennement. Quand nous ne pratiquons pas l'amour avec les gens que nous disons aimer, cela siphonne notre énergie. Vivre de façon incohérente est épuisant.

Cela m'a aussi amenée à considérer les différences fondamentales entre *professer* l'amour et le *pratiquer*. Lors d'une entrevue récente à la radio au sujet de la vague de célébrités infidèles, l'animateur m'a demandé: «Pouvez-vous aimer quelqu'un et le tromper ou le maltraiter?»

J'y ai pensé un bon moment, puis j'ai donné la meilleure réponse que je pouvais offrir à la lumière de mon travail: «Je ne sais pas si vous pouvez aimer quelqu'un et le trahir ou être cruel envers lui ou elle, mais je sais que lorsque vous trahissez quelqu'un ou vous comportez d'une manière désagréable avec

---

7.   Bell Hooks, *All About Love: New Visions* (New York: HarperCollins Publishers, Harper Paperbacks, 2001).

cette personne, vous ne pratiquez pas l'amour. Et, en ce qui me concerne, je ne veux pas juste quelqu'un qui me dise qu'il m'aime, je veux une personne qui pratique cet amour pour moi chaque jour.»

En plus de m'aider à comprendre ce à quoi ressemble l'amour entre les gens, ces définitions m'ont forcée à reconnaître que développer l'amour de soi et l'acceptation de soi n'est pas facultatif. Ce ne sont pas des options que j'envisagerai si et quand j'aurai du temps libre. Ce sont des priorités.

Peut-on aimer les autres plus que soi-même?

La notion d'amour de soi et d'acceptation de soi a été, et l'est encore, une pensée révolutionnaire pour moi. Au début de l'année 2009, donc, j'ai demandé aux lecteurs de mon blogue ce qu'ils pensaient de l'importance de l'amour de soi, et de l'idée qu'on ne peut aimer les autres plus que soi-même. Chose certaine, la section des commentaires a donné lieu à tout un débat émotionnel.

Plusieurs personnes se sont dites passionnément en désaccord avec l'idée que l'amour de soi est une condition pour aimer les autres. D'autres ont argumenté qu'on peut apprendre comment s'aimer soi-même davantage en aimant les autres. D'autres encore se sont contentés d'écrire des commentaires du genre «Merci d'avoir gâché ma journée, je ne veux pas y penser.»

Il y a eu deux commentaires qui ont abordé la complexité de ces notions dans des termes très francs. J'aimerais les partager avec vous. Justin Valentin, professionnelle de la santé mentale, auteure et photographe, a écrit:

Grâce à mes enfants j'ai appris à vraiment aimer incondi-
tionnellement, à être empathique dans les moments où
je me sens misérable, et à me donner tellement plus.
Quand je regarde ma fille qui me ressemble tant, j'arrive
à me voir moi-même comme une petite fille. Cela me
rappelle de me montrer plus indulgente pour cette petite
fille qui vit en moi, de l'aimer et de l'accepter comme la
mienne. C'est mon amour pour mes enfants qui m'a
donné envie d'être une meilleure personne et de tra-
vailler à m'aimer et à m'accepter. Cela dit, toutefois, il
demeure tellement plus facile d'aimer mes filles…

Peut-être que d'y penser de cette manière a plus de sens :
plusieurs de mes patients sont des mères aux prises avec
une toxicomanie. Elles aiment leurs enfants plus qu'elles
ne s'aiment elles-mêmes. Elles démolissent leur vie, se
détestent, et blessent souvent leur corps irréparable-
ment. Elles disent qu'elles se détestent, mais qu'elles
aiment leurs enfants. Elles les croient adorables, mais se
trouvent elles-mêmes détestables. À première vue, on
serait tenté de dire que, oui, quelques-unes d'entre elles
aiment leurs enfants plus qu'elles-mêmes. Mais est-ce
qu'aimer vos enfants, c'est ne pas les empoisonner volon-
tairement comme vous vous empoisonnez vous-même ?
Peut-être que nos problèmes personnels sont comme la
fumée secondaire. Longtemps, on a pensé qu'elle n'était
pas vraiment dangereuse et que fumer ne blessait que le
fumeur. Pourtant, nous avons découvert, des années plus
tard, que la fumée secondaire pouvait bel et bien être
mortelle[8].

---

8. Commentaire de blogue cité avec la permission de Justin Valentin.

Voici le second commentaire qu'a écrit Renae Cobb, thérapeute en formation le jour, auteure et blogueuse occasionnelle la nuit :

> *Certes, les personnes que nous aimons nous inspirent vers des sommets d'amour et de compassion que nous n'aurions peut-être jamais atteints autrement, mais pour bien escalader ces sommets, nous avons souvent besoin de nous plonger dans les abîmes de ce que nous sommes, lumière/ombre, bien/mal, aimant/destructeur, et de résoudre nos propres affaires afin de mieux les aimer. Alors je ne pense pas que ce soit une chose ou l'autre, je pense que ce sont les deux. Nous aimons les autres avec passion, peut-être plus que nous pensons nous aimer nous-mêmes, mais cet amour fervent devrait nous conduire dans nos propres profondeurs afin que nous puissions apprendre à pratiquer la compassion envers nous-mêmes[9].*

Je suis d'accord avec Justin et Renae. S'aimer et s'accepter soi-même sont les actes ultimes du courage. Dans une société qui dit « Pensez à vous en dernier », l'amour et l'acceptation de soi s'avèrent presque révolutionnaires.

Si nous désirons nous engager dans cette révolution, nous devons comprendre l'anatomie de l'amour et du sentiment d'appartenance ; nous devons comprendre quand et pourquoi nous nous démenons autant pour notre propre dignité au lieu de la réclamer ; et nous devons comprendre et cerner *ce qui nous entrave*. Nous rencontrons des obstacles à chaque voyage que nous entreprenons ; la quête d'une vie sans réserve ne fait pas

---

9. Commentaire de blogue cité avec la permission de Renae Cobb.

exception. Dans le prochain chapitre, nous allons explorer ce qui nous empêche le plus, selon moi, de vivre et d'aimer avec tout notre cœur, sans réserve.

Ce qui obstrue la route

En 2008, j'ai été invitée à donner une conférence pour un très singulier événement qu'on appelle *The UP Experience*. Aimant beaucoup le couple qui le commandite, j'ai accepté avec enthousiasme sans y penser davantage.

Vous savez comment certaines choses ont toujours l'air mieux quand on les voit de loin et qu'on n'en connaît pas les détails... Eh bien, cet événement fut de ce genre.

J'ai accepté l'invitation vers la fin de 2008 et je n'y ai plus pensé jusqu'en 2009, au moment où la liste des conférenciers a été publiée sur le site Internet de la *UP Experience*. Je me contenterai de dire que c'était une liste de gens au prestige immense. Et puis moi. L'événement nous décrivait comme « 16 des intellectuels et conférenciers les plus exaltants au monde. Une journée tous azimuts! »

J'ai paniqué. Je n'arrivais pas à m'imaginer partager la scène avec Robert Ballard (l'océanographe archéologue qui a localisé le *Titanic*), Gavin Newsom (le maire de San Francisco), Neil deGrasse Tyson (l'astrophysicien qui anime NOVA et gère le Planétarium Hayden) et David Plouffe (le génie derrière la campagne présidentielle d'Obama). Et il ne s'agit que de quatre parmi les quinze autres.

En plus de me débattre avec le sentiment que je commettais une imposture, j'étais effrayée par le format: l'événement était organisé d'après les conférences TED (*www.ted.com*), et chaque conférencier ne disposerait que de vingt minutes pour partager ses idées les plus novatrices en compagnie de ce qu'on appelait un auditoire de cadres dirigeants – autant de chefs de direction, de directeurs financiers, opérationnels et d'information qui payaient 1000$ pour toute la journée.

Quelques instants après avoir vu la liste des invités, j'appelais mon amie Jen Lemen et je lui nommais les conférenciers. Une fois les quinze prononcés, j'ai pris une grande respiration et j'ai dit à Jen: «Je ne suis pas certaine de vouloir le faire.»

Même si nous étions au téléphone et qu'elle se trouvait à des milliers de kilomètres de moi, je pouvais la voir secouer la tête. «Range ta règle à mesurer, Brené.»

Je me suis hérissée. «Qu'est-ce que tu veux dire?»

Jen a poursuivi: «Je te connais. Tu es déjà en train de penser comment rendre ta conférence de vingt minutes "recherchée" et compliquée.»

Je ne saisissais toujours pas. «Eh bien, oui. Évidemment que je vais me montrer savante. Tu as vu cette liste de personnes? C'est… c'est… la cour des grands.»

Jen a gloussé. «Tu as besoin de vérifier ton âge?»

Silence complet de mon côté.

Jen a ajouté: «Écoute bien. Tu es chercheuse, mais ton meilleur travail ne vient pas de la tête, il vient du cœur. Ça va bien se passer si tu choisis ce que tu fais le mieux: raconter des histoires. Reste comme tu es. Reste honnête.»

J'ai raccroché, levé les yeux au ciel et pensé: *Raconter des histoires. Tu veux rire de moi? Pourquoi pas préparer un spectacle de marionnettes tant qu'à y être.*

En temps normal, je mets un jour ou deux à préparer une conférence. Je n'utilise jamais de notes écrites, mais j'ai habituellement une présentation visuelle ainsi qu'une idée générale de ce que je veux dire. Pas cette fois. Un spectacle de marionnettes aurait été plus facile ! J'ai été paralysée durant des semaines à cause de cette conférence. Rien ne fonctionnait.

Un soir, à peu près deux semaines avant l'événement, Steve m'a demandé : «Et puis, comment se prépare ta conférence UP?»

J'ai éclaté en sanglots. «Elle est à zéro. Je n'ai rien foutu. Je suis incapable de le faire. Je vais probablement devoir feindre un accident de voiture ou quelque chose.»

Steve s'est assis près de moi et a pris ma main. «Qu'est-ce qui se passe? Ce n'est pas toi, ça. Je ne t'ai jamais vue t'en faire à ce point pour une conférence. Tu es habituée, tu en fais tout le temps.»

Je me suis caché la tête dans les mains et j'ai marmonné : «Je suis bloquée. Je ne pense plus qu'à cette horrible expérience qui est survenue il y a quelques années.»

Steve a semblé surpris. «Quelle expérience?»

«Je ne t'en ai jamais parlé», ai-je répondu. Il s'est penché vers moi et a patienté.

«Il y a cinq ans, j'ai bousillé une conférence comme jamais je n'en ai bousillé avant ou depuis. Ça a été un désastre total, et j'ai vraiment peur que ça se produise encore.»

Steve n'arrivait pas à croire que je ne lui aie jamais parlé de cette expérience désastreuse. «Mais qu'est-ce qui s'est passé? Pourquoi ne m'en as-tu pas parlé?»

Je me suis levée de table en disant : «Je préfère ne pas en parler. Ça va juste empirer la chose.»

Il a repris ma main et m'a ramenée à la table. Il m'a regardée avec un air J'ai-attendu-toute-ma-vie-pour-te-servir-tes-propres-conseils et a dit : « Est-ce que nous ne devons pas justement parler des choses difficiles ? Est-ce que parler ne les rend pas toujours meilleures ? » J'étais trop épuisée pour argumenter, alors je lui ai raconté toute cette histoire.

Il y a cinq ans, quand mon premier livre est paru, j'ai été invitée à parler au dîner d'un groupe de femmes d'affaires. J'étais enthousiaste à l'idée de cette conférence, parce que, comme avec l'expérience UP, j'allais m'adresser à un groupe « normal » de gens : ni thérapeutes ni chercheurs, juste des gens d'affaires. En fait, il s'agissait de ma première conférence devant un auditoire normal.

Je suis arrivée de bonne heure au club sélect où l'événement se passait, et je me suis présentée à la responsable. Après m'avoir jaugée pendant ce qui m'a semblé une éternité, elle m'a accueillie avec une suite de courtes prononciations. « Bonjour. Vous ne ressemblez pas à une chercheuse. Je vais vous introduire au groupe. J'ai besoin de votre bio. »

C'était une manière un peu raide de me dire « Heureuse de vous rencontrer », mais bon. Je lui ai tendu ma bio, puis le début de la fin commença.

Elle l'a lue pendant une trentaine de secondes, puis elle a semblé avoir le souffle coupé, elle m'a regardée par-dessus ses lunettes pour m'annoncer sèchement : « Ça dit que vous êtes une scientifique qui fait de la recherche sur la honte. Est-ce vrai ? »

Tout à coup, j'avais dix ans et je me trouvais dans le bureau du directeur d'école. J'ai acquiescé et murmuré : « Oui, madame. Je suis chercheuse sur la honte. »

Les lèvres pincées, elle a lancé, encore de manière saccadée : « Est-ce que vous… étudiez… autre… chose ? »

J'étais incapable de répondre.

«Autre… chose?» a-t-elle insisté.

«Oui. J'étudie également la peur et la vulnérabilité.»

Elle a poussé une espèce de cri aigu tout en ayant le souffle coupé. «On m'a dit que vous prépariez une recherche sur comment ressentir plus de joie et comment avoir une vie mieux connectée et plus significative.»

Ah… je vois. Elle ne savait rien sur ce que je faisais. Quelqu'un lui avait probablement parlé de moi en omettant de décrire la nature de mon travail. Je comprenais maintenant.

J'ai essayé d'expliquer: «Je n'étudie pas spécifiquement le "comment" éprouver plus de joie et donner plus de sens à sa vie. Si j'en connais beaucoup sur ces sujets, c'est parce que j'étudie les choses qui nuisent à la joie, au sens et à la connexion dans sa vie.» Sans même me répondre, elle a quitté la pièce et m'a laissée là, debout.

Oh! quelle ironie pour la chercheuse sur la honte prise dans le sable mouvant du «Je ne suis pas à la hauteur».

Elle est revenue quelques minutes plus tard, a regardé juste au-dessus de ma tête et a dit: «Voici comment cela va se passer:

Premièrement, vous n'allez pas parler des choses qui empêchent. Vous allez parler du comment. C'est ce que les gens veulent entendre. On veut savoir comment faire.

Deuxièmement, ne prononcez pas le mot *honte*. Les gens mangeront pendant votre conférence.

Troisièmement, les gens aiment être à l'aise et joyeux. C'est tout. Gardez-les à l'aise et joyeux.»

Je suis restée là, immobile, totalement abasourdie. Après quelques muettes secondes, elle m'a demandé: «C'est d'accord?»

et avant que je puisse dire quoi que ce soit, elle a répondu à ma place: «Parfait».

Tandis qu'elle s'éloignait, elle s'est tournée vers moi: «Rafraîchissant et léger. Les gens aiment ça rafraîchissant et léger.» Et pour s'assurer que j'avais saisi, elle a écarté les doigts les uns des autres en imitant d'immenses gestes d'éventail avec ses mains, illustrant «rafraîchissant» et «léger».

Je suis restée devant ce groupe pendant quarante minutes, pétrifiée, à répéter différentes versions de: «La joie, c'est bon. Être heureux est si important. Nous devrions tous éprouver de la joie. Et trouver un sens à notre vie. Parce que cela fait tellement de bien.»

Les femmes dans l'auditoire souriaient, acquiesçaient, mangeaient leur poulet. J'étais une catastrophe ambulante.

Tandis que je finissais de raconter mon histoire à Steve, son visage était crispé et il secouait la tête. Il n'aime pas trop parler en public, alors je crois qu'il était en train de conjurer sa propre anxiété en écoutant mon récit désastreux.

Toutefois, curieusement, le fait de l'avoir raconté m'a rendue moins anxieuse. En fait, dès que j'ai eu fini de tout dire, je me suis sentie différente. J'avais enfin compris: mon travail, moi, la décennie que j'avais passée dans mes recherches, tout avait trait à ce qui nuit, à «ce qui obstrue la route». Si je n'explique pas «comment faire», c'est simplement parce que, en dix ans, je n'ai jamais vu l'évidence du «comment faire» sans qu'il soit question de «ce qui obstrue la route».

Avec beaucoup de force, le fait de m'approprier cette histoire m'a permis de savoir qui je suis comme chercheuse et de faire entendre ma voix. J'ai regardé Steve et je lui ai souri. «Je ne fais pas dans le *comment faire*.»

Pour la première fois en cinq ans, je prenais conscience que la femme qui m'avait accueillie dans ce club sélect n'avait pas la moindre intention de saper ma conférence. Si cela avait été le cas, ses paramètres ridicules n'auraient pas été aussi dévastateurs pour moi. Sa liste de critères était symptomatique de nos peurs culturelles. Nous ne voulons pas être mal à l'aise. Nous voulons un mode d'emploi bref et faux qui explique «comment faire» pour être heureux.

Ce n'est pas ma tasse de thé. Ça ne l'a jamais été. Ne vous trompez pas, j'adorerais pouvoir passer par-dessus les choses difficiles, mais cela ne donne strictement rien. On ne change pas, on ne grandit pas, on n'avance pas sans les affronter. Si on veut vraiment vivre une vie heureuse, connectée et pleine de sens, on se *doit* de parler de ce qui obstrue la route.

Si je ne m'étais pas approprié cette histoire en la racontant à Steve, j'aurais continué de me dévaloriser professionnelle- ment sous prétexte que je n'avais pas d'«astuces rapides» et d'«étapes faciles» à offrir. Maintenant que je me la suis appro- priée, je vois que ma compréhension des ténèbres donne à ma recherche la lumière et le sens que l'on cherche.

Je suis ravie de dire que cette conférence avec la UP Expe- rience qui me faisait si peur s'est très bien passée. J'ai même choisi d'y raconter ma mésaventure «rafraîchissante et légère» auprès de ce groupe de femmes. C'était un risque, mais je me suis dit que même les cadres dirigeants se débattent avec la dignité. Quelques semaines après l'événement, j'ai reçu un appel de l'organisatrice. Elle a dit: «Félicitations! Les évaluations sont compilées et votre conférence a fini parmi les deux mieux notées de la journée, d'autant plus qu'étant donné ce que vous étudiez, vous incarniez l'étrangère parmi tous.»

Voici l'essentiel :

Si nous voulons vivre et aimer sans réserve, et si nous désirons être en contact avec le monde à partir d'une position de dignité, il nous faut parler de ce qui obstrue la route, en particulier de la honte, de la peur et de la vulnérabilité.

Dans les cercles jungiens, la honte est souvent désignée comme le marécage de l'âme. Je ne suggère pas d'y patauger pour s'y installer en bivouac. Je l'ai fait et je peux vous dire que, si le marécage de l'âme est un endroit crucial à visiter, *personne* ne voudrait y vivre.

Ce que je propose, c'est d'apprendre à y retrouver son chemin. On doit comprendre ceci : rester sur la rive en dramatisant ce qui pourrait advenir si on parlait de nos peurs est plus souffrant que de prendre la main d'un compagnon de confiance pour traverser ce marécage. Plus important encore, il est beaucoup plus facile de traverser le marécage que d'essayer de garder pied sur cette rive glissante alors que notre regard est fixé de l'autre côté du marécage, là où la dignité nous attend.

Les *modes d'emploi* pour être heureux sont un séduisant raccourci, et je le comprends. Pourquoi passer au travers de ce marécage si on peut simplement le contourner?

Mais voici le problème : pourquoi un *mode d'emploi* du bonheur serait-il si attirant alors que, en vérité, nous savons déjà le *comment* du bonheur, et pourtant nous demeurons sur la rive, en quête de plus de joie, de connexion et de sens?

La plupart des lecteurs de ce livre savent comment se nourrir sainement. Je peux vous indiquer les points Weight Watcher de chaque produit à l'épicerie. Je peux vous réciter la liste d'épicerie de Minçavi et même le Guide alimentaire canadien. Nous savons manger sainement.

Nous savons aussi comment prendre de bonnes décisions avec notre argent. Nous savons également comment prendre soin de nos besoins émotionnels. Nous savons tout cela, et pourtant...

*Nous sommes les Américains les plus médicamentés, obèses, dépendants et endettés de **tous les temps**.*

Pourquoi? Pourquoi nous débattons-nous comme jamais auparavant alors que nous avons un immense accès à l'information, davantage de livres, davantage de connaissances scientifiques?

Parce que nous ne parlons pas de ce qui obstrue cette route qui mène au meilleur pour nous, nos enfants, nos familles, nos organisations et nos communautés.

Je peux bien connaître tout ce qu'il y a à savoir sur l'alimentation saine, mais si c'est une de ces journées où Ellen a de la difficulté avec un projet d'école, où Charlie est malade à la maison et ne peut pas aller en classe, où j'essaie d'envoyer un texte urgent alors que mon ordinateur bloque tout, où notre gazon se meurt, et où mes jeans ne ferment plus, où l'économie s'écroule, où il ne reste plus de sac à crottes pour le chien... si c'est une de ces journées-là, alors oubliez ça! Tout ce dont j'ai envie alors, c'est de faire taire l'anxiété accablante avec un muffin aux carottes, un sac de croustilles et du chocolat.

Nous ne parlons pas de ce qui nous fait continuer à manger jusqu'à ce que nous soyons malades, démesurément trop occupés, désespérés d'indifférence et de léthargie, et si pleins d'anxiété et de doute sur nous-mêmes que nous devenons incapables de réaliser ce que nous *savons* être le meilleur pour nous. Nous ne parlons pas de cette course à la dignité qui s'est tellement intégrée dans nos vies que nous cabotinons sans le savoir.

Quand je vis une de ces journées que je viens de décrire, une certaine anxiété est inévitable et normale, mais il y a des jours où la majeure partie de mon anxiété est issue des attentes que j'ai envers moi-même. Je veux que le projet d'Ellen soit remarquable. Je veux prendre soin de Charlie sans avoir à me soucier de mes propres échéanciers. Je veux prouver au monde entier combien je suis experte pour équilibrer ma vie et ma carrière. Je veux que notre pelouse soit magnifique. Je veux que les gens nous voient ramasser la crotte de notre chien dans des sacs biodégradables et se disent: *Mon Dieu! Quels citoyens responsables.* Il y a des jours où j'arrive à combattre l'urgence d'être tout pour tout le monde, mais il y en a certains qui prennent le dessus sur moi.

Comme je le disais au chapitre précédent, quand on peine à croire en sa valeur personnelle, on est toujours en train de lutter pour l'obtenir. La course à la dignité possède sa propre bande sonore, et pour ceux d'entre vous qui sont de mon âge ou plus vieux, ne pensez pas que ça ressemble à une bonne musique funky des années 70. Ça ressemble davantage à un tintamarre des vieilles cassettes de la honte et de ses diablotins, qui jouent et rejouent le sempiternel refrain du «jamais assez content de soi-même»:

- «Que penseront les gens?»

- «Tu ne peux pas *vraiment* t'aimer encore. Tu n'es pas assez… (jolie, beau, mince, prospère, riche, talentueuse, douée, heureux, féminine, masculin, efficace, agréable, forte, solide, altruiste, populaire, créative, apprécié, admiré, engagée).

- «Personne ne doit savoir que…»

- «Je vais prétendre que tout est parfait.»

- «S'il le faut, je peux changer pour m'intégrer!»

- «Pour qui te prends-tu à révéler au monde tes pensées/ton art/tes idées/tes croyances/tes écrits?»

- «Prendre soin d'eux est plus important que de prendre soin de moi.»

La honte est ce sentiment de chaleur qui nous submerge, et qui nous fait sentir petits, pleins de défauts, et jamais assez bons. Si nous voulons développer la résilience à la honte, c'est-à-dire devenir capables de la reconnaître et de la surmonter en ne perdant pas notre dignité et notre authenticité en chemin, on n'a pas le choix: on doit déconstruire la honte.

Des conversations honnêtes sur la honte peuvent changer la manière dont nous vivons, aimons, éduquons nos enfants, travaillons, et construisons nos relations. J'ai reçu plus de mille lettres et courriels de lecteurs de *I Thought It Was Just Me*, mon livre traitant de la résilience à la honte. Leurs messages disent tous la même chose: «Je n'arrive pas à croire à quel point parler de la honte a changé ma vie!» (Et je vous assure que vous pouvez en parler même si vous êtes en train de manger… Vous ne serez pas malade.)

Résilience à la honte 101

Voici les trois premières choses que vous devez savoir au sujet de la honte:

1. Nous l'avons tous. La honte est universelle; c'est l'une des émotions humaines les plus primitives que nous vivons. Les seules personnes qui ne la ressentent pas sont celles qui sont incapables d'empathie et de connexion humaine.

2. Nous avons tous peur de parler de la honte.

3. Moins nous parlons de la honte, plus elle contrôle notre vie.

Essentiellement, la honte est la peur de ne pas être aimé: c'est le contraire absolu de s'approprier son histoire et de se sentir digne. Voici la définition que j'en ai tirée à la lumière de mes recherches :

> *La honte est le sentiment ou l'expérience intensément*
> *douloureux de croire que nous sommes imparfaits,*
> *et donc que nous sommes indignes*
> *d'amour et d'appartenance*[10].

La honte tient la dignité à distance en nous faisant croire que nous approprier notre histoire nous fera paraître plus faibles aux yeux des autres. La honte a tout à voir avec la peur. Nous avons peur que les gens ne nous aiment pas s'ils savent qui nous sommes, d'où nous venons, ce en quoi nous croyons, à quel point nous avons des difficultés et, croyez-le ou non, à quel point nous sommes formidables quand nous brillons (il est parfois aussi ardu d'assumer nos forces que nos faiblesses).

Les gens veulent souvent croire que la honte est réservée à ceux qui ont survécu à des traumatismes terribles, mais ce n'est pas vrai. La honte est un sentiment que nous expérimentons tous. Et même si elle semble se cacher dans nos plus sombres recoins, elle s'insinue dans tous les aspects familiers de la vie : l'apparence et l'image du corps, la famille, le rôle parental, l'argent et le travail, la santé, la dépendance, le sexe, le vieillissement, ainsi que la religion. Ressentir la honte, c'est être humain.

Il n'est facile pour personne de s'approprier l'histoire de ses misères, et autant on travaille fort pour que tout paraisse «parfait» en surface, autant l'enjeu devient immense lorsque vient le temps de sortir la vérité du sac. Voilà pourquoi la honte adore tout spécialement les perfectionnistes : il est si facile de nous faire taire !

---

10. Brené Brown, *I Thought It Was Just Me (but it isn't): Telling the Truth About Perfectionism, Inadequacy, and Power* (New York : Penguin/ Gotham Books, 2007).

Lorsqu'on se raconte sans réserve, non seulement on a peur de décevoir les gens ou de les faire s'éloigner de nous, mais on craint aussi que le poids d'une seule expérience s'effondre sur nous. On a réellement peur qu'une seule mauvaise expérience nous enterre ou nous définisse, alors qu'en vérité elle n'est qu'un fragment de tout ce que nous sommes.

Je raconte nombre de ces histoires dans mon livre *I Thought It Was Just Me*, mais l'anecdote qui me vient à l'esprit en ce moment est celle d'une femme qui a pris son courage à deux mains pour confier à sa voisine qu'elle était une alcoolique en recouvrance, seulement pour se faire dire : « Je crois que je ne suis plus à l'aise de laisser mes enfants jouer chez toi. » Cette brave femme m'a raconté qu'elle a alors repoussé sa peur et rétorqué à sa voisine : « Mais tes enfants jouent chez moi depuis deux ans, et je suis sobre depuis vingt ans. Je ne suis pas différente de ce que j'étais il y a dix minutes. Pourquoi l'es-tu ? »

Si la honte est la peur universelle de se sentir indigne d'amour et d'appartenance, et si, justement, tout le monde a un besoin irréductible et inné de vivre ces sentiments, il est facile de comprendre pourquoi la honte est souvent qualifiée d'« émotion maîtresse ». On n'a pas besoin de ressentir la honte pour être paralysé par elle : la seule peur d'être perçu comme indigne est suffisante pour museler nos histoires.

Et si, en effet, nous vivons tous de la honte, la bonne nouvelle est que nous sommes également tous capables de cultiver une résilience à la honte. Cette résilience, c'est l'habileté à reconnaître la honte, à la surmonter de façon constructive, tout en gardant notre dignité et notre authenticité, pour arriver à développer plus de courage, de compassion et de connexion résultant de notre expérience. La première chose à comprendre sur la résilience à la honte est que moins nous parlons de la honte, plus nous la ressentons.

La honte a besoin de trois choses pour croître et devenir hors de contrôle : le secret, le silence et le jugement. Quand quelque chose de honteux arrive et que nous taisons notre expérience, la honte se nourrit et croît. Elle nous consume. Nous devons partager notre expérience. La honte arrive entre les humains, elle se soigne entre les humains. Si nous trouvons quelqu'un qui mérite d'écouter notre histoire, nous devons la lui dire. La honte perd alors ses pouvoirs lorsqu'elle est verbalisée. En ce sens, nous avons besoin pour la vaincre de cultiver notre histoire, et pour cultiver notre histoire, il faut travailler à la résilience.

Après dix ans de recherches, j'ai découvert que les hommes et les femmes ayant atteint des niveaux élevés de résilience à la honte partagent ces quatre éléments :

1. Ils comprennent la honte et savent reconnaître les paroles et les attentes qui peuvent la déclencher en eux.

2. Ils pratiquent le discernement critique en déconstruisant les paroles et les attentes qui nous disent qu'*être imparfait* rime avec *être insuffisant*.

3. Ils s'ouvrent et partagent leurs histoires avec les personnes en qui ils ont confiance.

4. Ils ne détournent pas le sujet : ils utilisent le mot *honte*, parlent de ce qu'ils ressentent, et demandent ce dont ils ont besoin.

Quand je pense aux hommes et aux femmes qui, dans mon étude, ont mentionné le pouvoir de transformation de leurs histoires (ceux qui se les approprient et les partagent), je me rends compte que ce sont aussi les hommes et les femmes qui pratiquent la résilience à la honte.

Parce que la dignité et la résilience à la honte consistent à s'approprier ses propres histoires, j'aimerais partager avec vous l'une de mes histoires de résilience à la honte. Avant de le faire, cependant, je veux aborder deux questions souvent posées à propos de la honte. Je pense que cela pourra vous aider à dénouer quelques nœuds autour de ce sujet difficile.

Quelle est la différence entre la honte et la culpabilité? La plupart des chercheurs et des cliniciens sur la honte s'entendent pour dire que la différence entre la honte et la culpabilité s'explique le plus clairement comme la différence entre «Je ne suis pas bon» et «J'ai fait quelque chose de mal».

Culpabilité = J'ai fait quelque chose de mal.
Honte = Je ne suis pas bon.

La honte s'attaque à notre personne, la culpabilité s'attaque à nos comportements. On se sent coupables quand on cache quelque chose qui va à l'encontre du type de personne que nous désirons être, par action ou par omission. C'est un sentiment de malaise, mais un sentiment utile. Quand on s'excuse d'avoir fait quelque chose, quand on fait amende honorable aux autres ou quand on change un comportement qui ne nous correspond guère, c'est souvent la culpabilité qui nous motive à le faire. La culpabilité est aussi puissante que la honte, mais ses effets se révèlent souvent positifs là où ceux de la honte sont souvent destructeurs. Quand nous voyons des personnes s'excuser, s'amender, remplacer un mauvais comportement par un meilleur, c'est la culpabilité, et non la honte, qui en est la plupart du temps le déclencheur. À vrai dire, j'ai pris conscience à l'aide de mes recherches que la honte corrode cette partie de nous qui croit que nous pouvons faire mieux et changer[11].

La honte ne nous remet-elle pas à notre place? Comme plusieurs autres professionnels, je suis arrivée à la conclusion

---

11. L'inventaire le plus détaillé des travaux actuels qui se font sur la honte et la culpabilité peut être trouvé dans *Shame and Guilt* par June Price Tangney et Ronda L. Dearing (New York: Guilford Press, 2002).

que la honte risque davantage de conduire à des comportements destructeurs et blessants plutôt qu'à une solution. Encore
une fois, c'est dans la nature humaine de vouloir se sentir digne
d'amour et d'appartenance. Quand on a honte, on se sent
déconnecté et on a désespérément besoin de sentir qu'on vaut
quelque chose. Le fait d'être rempli de honte ou de peur de la
honte incite davantage à avoir des comportements autodestruc-
teurs ou à attaquer et humilier les autres. La honte est ni plus ni
moins liée à la violence, aux agressions, à la dépression, aux
dépendances, aux troubles alimentaires et à l'intimidation.

Les enfants qui ont plus souvent recours à un dialogue intérieur de honte (*Je suis méchant*) plutôt qu'à un dialogue intérieur
de culpabilité (*J'ai fait quelque chose de méchant*) luttent très
fort avec des problèmes d'estime de soi et de haine de soi. Utiliser la honte pour éduquer ses enfants leur apprend d'emblée
qu'ils ne sont pas inconditionnellement dignes d'amour.

Chercheuse sur la honte, guéris-toi toi-même!

Peu importe tout ce qu'on peut savoir sur la honte, elle peut
vous jouer de sales tours (et croyez-moi, je parle par expérience). Vous pouvez vous retrouver en plein milieu de son joug
sans même savoir ce qui se passe ni pourquoi. La bonne nouvelle
est que, avec suffisamment de pratique, la résilience à la honte
peut de son côté vous en jouer de bons et surprenants! Non seulement l'histoire qui suit illustre la nature insidieuse de la honte,
mais elle rappelle aussi à quel point il est essentiel d'en parler et
de raconter notre histoire.

Durant plusieurs mois en 2009, mon blogue a figuré comme
exemple de site sur la page principale de la compagnie qui
l'hébergeait. C'était vraiment amusant, car j'avais droit à beaucoup de visites de la part de gens qui n'auraient jamais, en temps

normal, recherché un blogue sur l'authenticité et le courage. Un jour, j'ai reçu un courriel d'une femme qui en aimait la présentation et le modèle. Je me suis sentie fière et reconnaissante… jusqu'à ce que je me rende à ce point-ci de son message :

> *J'aime vraiment beaucoup votre blogue. C'est très créatif et facile à lire. Ce cliché de vous et de votre copine au cinéma serait l'unique exception… Dieu du ciel! Je n'ajouterais jamais une mauvaise photo à un blogue, mais c'est la photographe qui parle ici… ;-)*

Je n'arrivais pas à le croire. La photo à laquelle elle faisait référence était un instantané que j'avais pris de ma bonne amie Laura et moi. On nous voyait assises dans l'obscurité d'un cinéma en attendant que le film *Sex and the City* commence. Il s'agissait du jour d'ouverture et nous nous sentions dingues et excitées, alors j'avais sorti l'appareil et pris une photo de nous deux.

J'étais très fâchée, confuse et choquée par le commentaire de cette femme concernant ma photo, mais j'ai continué à lire. Elle poursuivait en me posant des questions sur le modèle du blogue, puis elle concluait son courriel en m'expliquant qu'elle travaillait avec beaucoup de «parents sans dessein» qu'elle prévoyait informer sur mon travail d'éducation. *Mouais, bon.* J'étais extrêmement vexée.

J'ai fait les cent pas dans la cuisine, puis je me suis assise avec l'idée de marteler un courriel.

Le brouillon numéro 1 incluait cette réplique : «Dieu du ciel! Je ne critiquerais jamais la photo de quelqu'un, mais c'est la chercheuse universitaire sur la honte qui parle ici.»

Le brouillon numéro 2 incluait celle-ci : «J'ai regardé votre photo. Si vous avez à cœur de ne pas en mettre de mauvaises en ligne, j'y repenserais avant de publier les vôtres. »

Le brouillon numéro 3 incluait celle-là: «Si vous prévoyez envoyer un courriel merdique, le moins que vous puissiez faire est de le corriger. Les *si* n'aiment pas les *rais*. »

Mesquin. Méchant. Je m'en fichais. Mais je n'ai pas envoyé le courriel. Quelque chose dans mon corps m'a bloquée. J'ai relu mes courriels d'assaut, j'ai pris une grande respiration et je me suis précipitée dans ma chambre. J'ai chaussé mes souliers de course et je me suis élancée vers le trottoir avec une casquette de baseball sur la tête. J'avais besoin d'aller dehors pour prendre l'air et de faire sortir le méchant qui affluait dans mes veines.

Environ deux kilomètres plus loin, j'ai appelé ma bonne amie Laura, celle-là même qui apparaît avec moi sur la photo prise au cinéma. Je lui ai tout raconté au sujet du courriel de la femme en question et elle a sursauté: «Tu me niaises?»

«Non. Je suis sérieuse. Tu veux écouter mes trois répliques? J'hésite encore à choisir celle que je vais envoyer.» Je lui ai récité mes trois réponses à tête chercheuse, puis elle a sursauté de nouveau.

«Brené, tu es pas mal gonflée. Moi, je ne pourrais pas répliquer ainsi. Je serais blessée et je me contenterais sûrement de pleurer.» Laura et moi parlons tout le temps des choses difficiles. Nous partageons un rythme très commode. Nous pouvons discourir à perdre haleine ou au contraire demeurer assez silencieuses. Nous sommes toujours en train d'analyser et de dire des choses comme: «Bon, concentre-toi bien sur ce que je vais te dire… Je me disais…», ou «Est-ce que ça a du sens, ce que je raconte?», ou encore «Non, non, attends… je sens que les mots me viennent, là.»

À ce point de notre échange au téléphone, j'ai lancé : « Laura, n'ajoute rien. Je dois repenser à ce que tu viens de me dire. » Et pendant deux ou trois minutes, l'unique son que nous entendions était mon essoufflement.

J'ai fini par parler : « Toi, tu serais blessée et tu pleurerais ? »

Laura répondit à contrecœur : « Oui. Pourquoi ? »

« Eh bien…, ai-je d'abord hésité, je pense que me sentir blessée et pleurer serait l'option courageuse pour moi. »

Elle a semblé surprise. « Qu'est-ce que tu veux dire ? »

Je lui ai expliqué du mieux que j'ai pu. « Mesquin et méchant, c'est mon réglage par défaut. Ça ne me prend pas beaucoup de courage pour humilier en retour. Je peux répliquer avec mes superpouvoirs de honte et faire le mal en l'espace d'une seconde. Me sentir blessée par ça, voilà une histoire différente. Je pense que ton réglage par défaut est mon courage. »

Nous en avons discuté pendant encore un bout de temps, puis nous avons décidé que le courage de Laura était de reconnaître la blessure sans la fuir, et que le mien consistait à la reconnaître sans chercher à blesser en retour. Nous étions également d'accord sur le fait que la méchanceté ne rime jamais avec bravoure : elle est, au mieux, basse et facile, surtout dans notre culture d'aujourd'hui.

Après deux autres kilomètres à parler de tout cela, Laura m'a demandé : « Bon, alors maintenant que nous avons établi ce duo reconnaissance et blessure, quelle serait la chose courageuse à faire avec ce courriel ? »

J'ai essayé de ravaler mes larmes. « Être blessée. Pleurer. T'en parler. Lâcher prise. Supprimer ce courriel. Ne même pas y répondre. »

Pendant un moment Laura s'est montrée silencieuse, et tout à coup elle a lancé : « Oh, mon Dieu ! Mais c'est de la résilience à la honte, ça, non ? Tu es en train de pratiquer le courage. »

J'étais mêlée, comme si je n'avais jamais entendu cette expression-là auparavant. « Hein ? Qu'est-ce que tu veux dire ? »

Laura m'a patiemment expliqué : « Résilience à la honte, tu sais, ton livre ? Celui qui est bleu. Les quatre éléments de cette résilience : Nommer la honte. En parler. S'approprier son histoire. La raconter. Ton livre. » Nous avons toutes les deux commencé à rire. Je me suis dit : *Nom de nom. Ça marche.*

Une semaine plus tard, je m'adressais à un groupe de 70 étudiants au doctorat qui prenaient mon cours sur la honte et l'empathie. J'étais en train de décrire les quatre éléments de ladite résilience lorsqu'une de mes étudiantes a levé sa main et demandé un exemple. J'ai choisi de leur conter l'histoire « Dieu du ciel ». Cette histoire illustre fort bien comment la honte peut surgir à un niveau tout à fait inconscient et à quel point il est important de la nommer et d'en parler.

J'ai commencé mon récit en décrivant mon blogue ainsi que mon tout récent désir d'apprendre la photographie. Je leur ai confié que je me sentais vulnérable de partager mes propres photos, et que je m'étais donc sentie humiliée et rabaissée à la lecture du courriel critique que j'avais reçu.

Quand je leur ai avoué ma viscérale envie de répondre avec cruauté, plusieurs des étudiants ont enfoui leur tête dans leurs mains et d'autres ont simplement regardé ailleurs. Je suis persuadée que certains étaient déçus de mon manque de jugement. Quelques-uns semblaient sidérés.

Un étudiant a levé la main : « Puis-je vous poser une question personnelle ? » Étant donné l'état vulnérable où je me trouvais à raconter une de mes histoires sur la honte, je me suis dit que ça ne pouvait pas faire de mal. Je me trompais.

Il a bravement dit : « Je vous écoute affirmer que c'était le fait d'être critiquée sur votre photographie, mais était-ce vraiment votre vulnérabilité ? La honte est-elle venue du sentiment d'être critiquée pour une mauvaise photo, ou vous sentiez-vous honteuse parce que vous vous étiez permis d'être vulnérable et ouverte plutôt que fermée dans une coquille, et que quelqu'un vous a blessée ? Était-ce vraiment le fait de vous ouvrir à la connexion et à la blessure ? »

Ma bouche est devenue sèche. Je me suis mise à transpirer. J'ai passé la main sur mon front et regardé droit devant moi ces étudiants qui rougissaient.

« Je n'en reviens pas ! C'est exactement ce qui s'est passé. Je ne m'en rendais pas compte jusqu'ici, mais c'est ce qui est arrivé. C'est précisément ce qui est arrivé. J'ai pris une photo un peu niaise dans un cinéma : chose que je ne fais pas en temps normal, mais j'étais avec une amie proche et on se sentait excentriques et redevenues jeunes filles. Je l'ai publiée en ligne parce qu'elle m'amusait beaucoup. Et puis quelqu'un m'a critiquée. »

Quelques-uns des étudiants ont foudroyé du regard leur brave collègue en semblant dire : *Bravo. Tu dois l'avoir traumatisée.* Mais je ne me sentais guère traumatisée. Ni dénudée. Ni exposée. Je me suis sentie délivrée. Cette histoire que j'avais besoin de m'approprier pour accéder à ma dignité n'était pas celle d'une apprentie photographe aux prises avec la critique. C'était l'histoire d'une personne plutôt sérieuse se montrant amusée, spontanée, un peu folle et imparfaite, dont quelqu'un a pointé soudain la vulnérabilité.

La résilience est souvent un lent déploiement de compréhension. Que signifiait pour moi cette expérience ? Que marmonnaient les diablotins ? Non seulement devons-nous assumer notre histoire et nous aimer nous-mêmes ce faisant, encore avons-nous besoin de discerner l'histoire vraie dans tout ça! Et il nous faut apprendre à nous protéger contre la honte si nous tenons à la dignité.

Comment se manifeste la honte?

Lorsqu'il s'agit de comprendre comment nous nous défendons contre la honte, j'ai le plus grand respect pour le travail qui se fait au Stone Center de Wellesley. La chercheuse Linda Hartling, ex-théoricienne sur la thérapie relationnelle-culturelle et maintenant directrice des Études sur la dignité humaine et l'humiliation, s'inspire du travail que feue Karen Horney a fait sur les stratégies de déconnexion que nous utilisons pour gérer la honte. Ces stratégies sont en fait trois types de réactions: la complaisance, l'affrontement et l'évitement[12].

Pour faire face à la honte, selon le Dr Hartling, certains réagissent par l'*évitement*: ils se retirent, se cachent, s'imposent le silence et gardent le secret. D'autres réagissent par la *complaisance* en cherchant à plaire et à calmer. D'autres encore réagissent par l'*affrontement* en essayant de gagner du pouvoir sur les autres, en étant agressifs et en suivant le principe œil pour œil, honte pour honte (comme envoyer des courriels méchants).

La plupart d'entre nous utilisent les trois types de stratégies: selon les moments, selon les personnes et selon les raisons. Pourtant, ces trois stratégies nous font dévier de notre histoire. La honte sous-entend la peur, les reproches et la déconnexion. Parler de notre histoire est synonyme de dignité et d'ouverture aux imperfections dont les fruits sont le courage, la compassion

---

12. Linda M. Hartling, Wendy Rosen, Maureen Walker et Judith V. Jordan, *Shame and Humiliation: From Isolation to Relational Transformation*, Work in Progress no 88 (Wellesley, MA: The Stone Center, Wellesley College, 2000).

et la connexion. Si nous voulons vivre pleinement sans avoir constamment peur de ne pas être la hauteur, il est impératif de nous approprier notre histoire. Nous devons aussi répondre à la honte d'une manière qui ne l'exacerbera pas. Pour ce faire, il faut notamment la reconnaître lorsqu'elle paraît, afin de pouvoir réagir avec intention.

La honte est une émotion de contact, tout comme certains sports. Les hommes et les femmes qui possèdent un haut degré de résilience à la honte savent la reconnaître quand elle se présente. Le meilleur moyen de faire comme eux est de développer une conscience aigüe des symptômes physiques qu'elle fait apparaître. Tel que je l'ai mentionné dans mon chapitre sur le courage, la compassion et la connexion, je sais que je suis aux prises avec la honte quand cette chaude bouffée d'inaptitude s'abat sur moi, quand mon cœur bat la chamade, que mon visage devient brûlant, que ma bouche devient sèche, que mes aisselles me démangent, et que le temps ralentit. Il est crucial de connaître nos symptômes personnels afin de devenir *assurés* dans notre réponse à la honte.

Quand nous ressentons de la honte, nous perdons toute disposition à l'activité humaine. Nous devons nous remettre vite sur pieds émotionnellement avant, disons, d'écrire un courriel ou un quelconque texto que nous regretterons. Personnellement, je sais que cela me prendra dix ou quinze minutes pour me ressaisir, et que je vais assurément pleurer avant d'être prête. J'aurai aussi besoin de prier. Savoir tout cela est un véritable cadeau.

Si vous avez envie de donner un coup d'envoi à votre résilience à la honte et à l'appropriation de votre histoire, débutez par les questions ci-dessous. Arriver à comprendre les réponses peut changer votre vie.

1. Qui devenez-vous lorsque vous êtes acculé(e) dans le placard de la honte?

2. Comment vous protégez-vous?

3. Qui appelez-vous pour assumer vos réactions de complaisance, d'affrontement ou d'évitement?

4. Quelle serait la chose la plus courageuse que vous puissiez faire pour vous-même lorsque vous vous sentez petit(e) et blessé(e)?

Nos histoires ne sont pas destinées à être entendues par tout le monde. Les entendre est un privilège, et nous devrions toujours nous poser cette question avant de les partager: «Qui mérite le privilège d'entendre mon histoire?» Si nous avons une ou deux personnes dans notre vie qui peuvent s'asseoir avec nous, laisser place à nos confidences sur la honte et nous aimer pour nos forces et nos faiblesses, nous sommes incroyablement chanceux. Si nous avons un ami, ou un petit groupe d'amis, ou une famille qui embrasse nos imperfections, nos vulnérabilités et notre pouvoir, et qui nous insuffle un sentiment d'appartenance, nous voilà en très bonne fortune.

Nous n'avons pas besoin d'amour et d'appartenance et d'échanges de confidences de la part de tout le monde dans notre vie, mais nous avons besoin d'au moins une personne. Si nous avons cet être dans notre vie ou ce petit groupe de confidents, la meilleure façon de reconnaître ces connexions est de reconnaître notre dignité. Si nous travaillons à des relations basées sur l'amour, l'appartenance et le partage de notre histoire, nous devons commencer au même endroit: je suis digne.

♥

Cultiver l'authenticité

LÂCHER PRISE SUR
CE QUE LES AUTRES PENSENT

*Les gens tentent souvent de vivre leur vie à rebours :
ils essaient de posséder plus de choses, ou plus d'argent,
afin de réaliser davantage ce qu'ils désirent pour être
encore plus heureux. Mais c'est en fait l'inverse qui
fonctionne. Vous devez d'abord être qui vous êtes
vraiment, puis faire ce que vous avez vraiment
besoin de faire afin d'avoir ce que vous désirez.*

— MARGARET YOUNG

Avant de commencer mes recherches, j'avais toujours eu tendance à classer les gens comme étant authentiques ou inauthentiques. Il s'agissait simplement d'une qualité que vous aviez ou qui vous manquait. Je pense que la manière dont plusieurs d'entre nous utilisent ce mot est celle-ci : «C'est une personne très authentique.» Mais à mesure que je me plongeais dans cette recherche et que je faisais mon propre travail personnel, je me suis rendu compte que l'authenticité, comme plusieurs autres façons désirables d'être, n'est pas quelque chose que nous avons ou que nous n'avons pas. C'est une pratique : le choix conscient de la façon dont nous voulons vivre.

L'authenticité est une succession de choix que nous devons faire chaque jour. Le choix de nous montrer tels que nous sommes. Celui d'être honnêtes. Celui de laisser voir notre propre individualité.

Il y a les gens qui s'exercent consciemment à être authentiques, ceux qui ne le font pas, et puis le reste d'entre nous qui l'est certains jours et l'est moins d'autres jours. Croyez-moi, même si j'en sais beaucoup sur l'authenticité, et même si j'y travaille, si je suis pleine de doutes sur moi-même ou remplie de honte, je peux renier mes principes et devenir qui vous voulez que je sois.

La plupart du temps, l'idée de pouvoir choisir l'authenticité nous donne de l'espoir en même temps qu'elle nous épuise. Nous sommes pleins d'espoir parce qu'être soi-même est une valeur que nous chérissons. La majorité d'entre nous sont attirés par les gens honnêtes, chaleureux et qui ont les pieds sur terre, et ils aspirent à être ainsi dans leur propre vie. Mais l'idée d'être authentique nous épuise également, parce que, d'instinct, nous avons le sentiment que choisir l'authenticité dans une culture qui nous dicte tout, depuis le poids de notre corps jusqu'à l'apparence de nos maisons, est une immense entreprise.

Étant donné l'ampleur de la tâche (devenir authentique dans une culture qui veut que vous vous conformiez et que vous plaisiez), j'ai décidé de me servir de mes recherches pour développer une définition de l'authenticité qui pourrait servir de référence. À quoi ressemble l'authenticité? Quels morceaux du puzzle s'harmonisent pour créer un être authentique? Voici ce que j'ai trouvé :

> *L'authenticité, c'est la pratique quotidienne qui consiste à lâcher prise sur ce que nous croyons devoir être et embrasser qui nous sommes.*

Choisir l'authenticité signifie :

- *cultiver le courage d'être imparfait, d'établir ses frontières, de se permettre d'être vulnérable ;*
- *pratiquer la compassion qui vient avec la conscience que nous sommes tous faits de forces et de faiblesses ;*
- *nourrir la connexion et le sentiment d'appartenance qui ne peuvent exister que lorsque nous croyons que nous sommes à la hauteur.*

L'authenticité demande de vivre et d'aimer sans réserve, même quand c'est difficile, même quand nous sommes aux prises avec la honte et la peur de ne pas être suffisamment à la hauteur, et surtout quand la joie est si intense que nous craignons de la ressentir pleinement.

La pratique consciente de l'authenticité pendant nos épreuves les plus profondes est ce qui permet d'accueillir la grâce, la joie et la gratitude dans notre vie.

Vous remarquerez que les sujets abordés dans les dix balises prennent souvent leurs racines dans cette définition, qui sera un thème récurrent tout au long du livre. Toutes les balises sont reliées les unes aux autres. Mon but est de parler de chaque balise individuellement et en rapport aux autres. Je veux explorer avec vous comment chacune fonctionne par elle-même et comment chacune s'adjoint aux autres en bout de ligne. Nous passerons la suite de ce livre à démêler des mots tels que *perfection* afin de pouvoir comprendre pourquoi ces concepts sont si importants et pour cerner ce qui nous empêche de vivre une vie sans réserve.

Choisir l'authenticité n'est pas facile. E.E. Cummings a écrit : « Être fidèle à soi-même dans un monde qui fait de son mieux, nuit et jour, pour vous faire devenir infidèle à vous-même, c'est mener le plus dur combat que peut mener un être humain, et ne jamais abdiquer.» *Rester soi-même* est l'un des plus courageux combats que nous puissions jamais livrer.

Quand nous choisissons d'être fidèles à nous-mêmes, les gens autour de nous se demandent comment et pourquoi nous changeons. Conjoints et enfants peuvent se sentir insécures et mal à l'aise à l'égard des changements qu'ils perçoivent. Amis et famille se demandent parfois comment notre pratique de l'authenticité les affectera ainsi que nos relations avec eux. Quelques-uns s'inspireront de notre engagement nouveau; d'autres considéreront que nous changeons trop, voire que nous les abandonnons ou que nous tenons haut dans les airs un miroir embarrassant.

Ce n'est pas tant l'*acte d'authenticité* qui menace le statu quo, mais plutôt l'*audace de l'authenticité*. La plupart des gens tombent dans le piège de la honte lorsqu'ils sont perçus comme complaisants ou imbus d'eux-mêmes. Nous ne voulons pas que notre authenticité soit vue comme de l'égoïsme ou du narcissisme. Lorsque j'ai commencé à pratiquer l'authenticité et la dignité de façon consciente, je sentais que chaque jour me faisait traverser un long couloir de diablotins très bavards. Leurs voix peuvent être lourdes et infatigables :

- «Et si je pense être à la hauteur quand les autres ne le pensent pas?»

- «Et si, en laissant mon moi imparfait être vu et connu, personne n'aime ce qu'il voit?»

- «Et si mes amis/ma famille/mes collègues préfèrent ma personne parfaite... vous savez, celle qui prend soin de tout et de tous?»

Parfois, si nous ébranlons le système, celui-ci réplique. Cette contre-attaque peut être beaucoup de choses, depuis les yeux levés au ciel et les murmures jusqu'aux différends relationnels et aux sentiments d'isolement. Des réactions cruelles et humiliantes peuvent s'élever contre nos voix authentiques. Au cours de mes recherches sur la honte et l'authenticité, j'ai découvert que dire ce qu'on pense est un piège à honte majeur pour les femmes. Voici comment les participants à mes recherches ont décrit le tiraillement qui les remue lorsqu'ils essaient d'être authentiques :

- Ne mets pas les gens mal à l'aise mais sois honnête.

- Ne vexe pas ou ne blesse personne mais dis ce que tu as sur le cœur.

- Comporte-toi de manière éduquée et informée mais pas comme un prétentieux.

- Ne dis rien qui soit impopulaire ou controversé, mais aies le courage d'être en désaccord avec la masse.

J'ai également découvert que les hommes et les femmes en arrachent lorsque leurs opinions, leurs sentiments et leurs croyances entrent en conflit avec les attentes de notre culture envers leur sexe respectif. Par exemple, des recherches sur les attributs qu'on associe au fait d'«être féminine» nous annoncent que quelques-unes des plus importantes qualités pour les femmes sont la minceur, la gentillesse et la modestie[13]. Ce qui veut dire que, pour ne courir aucun risque, les femmes doivent être prêtes à rester aussi petites, silencieuses et attirantes que possible.

Si on jette un coup d'œil sur les attributs associés à la masculinité, les chercheurs ont cerné ceux-ci : le contrôle émotionnel,

---

13. James R. Mahalik, Elisabeth B. Morray, Aimée Coonerty-Femiano, Larry H. Ludlow, Suzanne M. Slattery et Andrew Smiler, «Development of the Conformity to Feminine Norms Inventory», *Sex Roles* 52, no 7-8 (2005): 417-35.

la priorité au travail, le contrôle sur les femmes et la poursuite d'un statut social[14]. Ce qui veut dire que, pour ne courir aucun risque, les hommes doivent cesser de ressentir, faire monter leur salaire et renoncer à une connexion sérieuse.

Le hic, c'est que... l'authenticité n'est pas toujours sans risque. Parfois, choisir d'être soi-même plutôt que de plaire est du pur funambulisme. L'authenticité nous fait quitter notre zone de confort. Et, croyez-moi, pour avoir quitté cette zone à de nombreuses occasions, il est facile de se faire rabrouer quand on erre en territoire inconnu.

Il est facile d'attaquer ou de critiquer quelqu'un qui prend des risques, ou qui énonce une opinion impopulaire, ou qui partage sa création avec le monde, ou qui met la main à la pâte d'une nouvelle chose qu'elle n'a pas tout à fait maîtrisée. La cruauté est minable, facile et endémique. Elle est lâche, également. En particulier lorsqu'on attaque et critique quelqu'un anonymement, comme la technologie le permet à tant de gens aujourd'hui.

Quand on essaie d'être authentiques et braves, il est important de se rappeler que la cruauté blesse toujours, même si les critiques sont fausses. Quand on va à contre-courant et qu'on expose notre personne et notre travail au monde, certains se sentiront menacés au point d'attaquer les points les plus sensibles: notre apparence, notre amabilité, et même nos aptitudes parentales.

---

14. James R. Mahalik, W. Tracy Talmadge, Benjamin D. Locke et Ryan P.J. Scott, «Using the Conformity to Masculine Norms Inventory to Work with Men in a Clinical Setting», *Journal of Clinical Psychology* 61, no 6 (2005): 661-74; James R. Mahalik, Benjamin D. Locke, Larry H. Ludlow, Matthew A. Diemer, Ryan P.J. Scott, Michael Gottfried et Gary Freitas, «Development of the Conformity to Masculine Norms Inventory», *Psychology of Men and Masculinity* 4, no 1 (2003): 3-25.

Le problème, ici, est que lorsqu'on se fiche totalement de ce que les gens pensent et qu'on est immunisés contre les blessures, on est aussi inaptes à la connexion. Le courage consiste à raconter son histoire, et non à devenir immunisés contre la critique. Demeurer vulnérables est un risque nécessaire à la connexion.

Si vous êtes comme moi, le choix de pratiquer l'authenticité vous semblera intimidant, car exposer au monde son vrai moi n'est pas sans risque. Mais je crois qu'il y a un plus grand risque encore à dissimuler notre personne et nos talents au monde. Car les idées, les opinions et les désirs que nous n'exprimons pas ne disparaissent pas comme par magie; ils vont plutôt suppurer et gruger notre dignité. Je pense qu'il faudrait naître avec une étiquette d'avertissement pareille à celles qu'on trouve sur les paquets de cigarettes: *Avertissement. Si vous sacrifiez votre moi authentique à la zone de confort, vous pourriez ressentir les effets indésirables suivants: angoisse, dépression, troubles alimentaires, dépendance, rage, blâme, ressentiment et chagrin inexplicable.*

Sacrifier ce que nous sommes au profit de ce que les autres pensent ne vaut pas le coup. Oui, devenir authentique peut être douloureux pour les gens autour de nous, mais au bout du compte, être soi-même est le plus inestimable cadeau que nous puissions offrir aux gens que nous aimons. Quand j'ai arrêté d'essayer d'être tout pour tout le monde, je me suis vue donner beaucoup plus de temps, d'amour, d'attention et de connexion aux gens importants dans ma vie. Ma pratique de l'authenticité n'est pas toujours évidente pour Steve et les enfants, surtout parce qu'elle demande de la patience, de l'énergie et de l'attention. Mais le fait est que Steve, Ellen et Charlie sont engagés dans le même combat. Nous le sommes tous.

Dépassez-vous

Faites preuve de résolution: Quand je fais face à une situation de vulnérabilité, je deviens résolue quant à mes intentions en me répétant ces phrases: *Ne te dérobe pas. Ne te dégonfle pas. Reste sur tes terres sacrées.* Je pense qu'il y a quelque chose de profondément spirituel dans l'idée de rester sur ses positions. Me répéter ce petit mantra m'aide à ne pas me faire petite pour que les autres soient confortables, et à ne pas jeter mon armure comme moyen de me protéger.

Inspirez-vous: Les êtres qui exposent ce qu'ils sont et ce qu'ils font m'inspirent. Le courage est courageux. Mon amie Katherine Center dit: «Vous devez être brave dans votre vie pour que les autres le soient dans la leur[15]. »

Agissez: J'essaie de donner la priorité à l'authenticité lorsque j'aborde une situation où je me sens vulnérable. Si l'authenticité est mon but et si j'y donne suite, je ne le regrette jamais. Je peux me sentir blessée, mais rarement honteuse. Par contre, quand l'acceptation ou l'approbation devient mon but, et que cela ne marche pas, le piège à honte peut m'attendre: «Je ne suis pas à la hauteur. » Si mon but est l'authenticité et qu'on ne m'aime pas, ça me va. Si mon but est de plaire et que je ne plais pas, ça ne va pas. J'agis en faisant de l'authenticité mon ultime priorité.

Et vous, comment vous dépassez-vous ?

♥

---

15. Blogue de Katherine Center, essai pour la vidéo *Defining a Movement*, posté le 28 janvier 2010, http://www.katherinecenter.com/defining-a-movement/.

Cultiver la compassion envers soi

LÂCHER PRISE SUR
LE PERFECTIONNISME

Le plus difficile et le plus extraordinaire à la fois,
c'est de renoncer à la perfection pour commencer
à travailler à devenir soi-même.

– ANNA QUINDLEN[16]

Recevoir lettres et courriels de la part de mes lecteurs est l'une des meilleures parties de mon travail. Tôt en 2009, j'ai reçu le millième courriel d'un lecteur de *I Thought It Was Just Me*. Pour célébrer l'occasion, j'ai décidé de publier durant huit semaines une lecture de groupe du livre sur mon blogue. J'ai appelé cette lecture *Shame.Less Joy.Full* [Zéro.Honte Full.Joie].

Grosso modo, la lecture de groupe était un club de lecture sur le Web. Nous avons couvert un chapitre par semaine, et j'ai offert des messages, des balados (*podcasts*), des discussions et des exercices de création. La lecture de groupe est toujours sur mon blogue, et les gens l'utilisent encore : lire l'ouvrage avec un groupe ou un ami est tellement plus puissant.

Avant que cette idée ne se mette en marche, j'ai reçu un courriel d'une femme qui écrivait : «J'adore le projet d'une

---

16. Anna Quindlen, «Anna Quindlen's Commencement Speech», www. mtholyoke.edu/offices/comm/oped/Quindlen.shtml; Anna Quindlen, *Being Perfect* (NY: Random House, 2005).

lecture de groupe. Je ne pense pas avoir de problèmes avec la honte, mais si un jour vous faites quoi que ce soit au sujet du perfectionnisme, je serai la première en ligne.» Sa signature était suivie d'une courte phrase qui disait: «P.-S.: Honte et perfectionnisme ne sont pas reliés, n'est-ce pas?»

Je lui ai répondu par courriel en expliquant la relation entre la honte et le perfectionnisme: là où le perfectinnisme existe, la honte rôde toujours. En fait, la honte est la matrice du perfectionnisme.

J'ai adoré sa réponse: «Vous devriez en parler avant que NOUS ne débutions la lecture de groupe. Mes amies et moi savons que nous sommes aux prises avec le perfectionnisme, mais nous ne nous réclamons pas de la honte.»

Nous ne nous réclamons pas de la honte. Si vous saviez combien de fois j'ai entendu cela! Je sais que le mot honte est redoutable. Le problème, c'est que lorsque nous ne nous réclamons pas d'elle, c'est elle qui se réclame de nous. Et un des moyens qu'elle utilise pour s'insinuer dans nos vies, c'est à travers le perfectionnisme.

En tant que perfectionniste en recouvrance et aspirante au «je-suis-à-la-hauteur», j'ai trouvé extrêmement utile de déconstruire quelques-uns des mythes sur ce sujet, afin que nous puissions élaborer une définition qui explique exactement ce qu'est le perfectionnisme et comment il affecte nos vies.

- *Le perfectionnisme n'est **pas** synonyme de faire de son mieux*. Ce n'est *pas* la même chose que la réussite saine et l'épanouissement. Le perfectionnisme est la croyance que si on a une vie parfaite, une apparence parfaite et un comportement parfait, on peut minimiser ou éviter la douleur des reproches, du jugement et de la honte. Le perfectionnisme est un bouclier. Mais c'est un bouclier de vingt

tonnes que nous traînons en pensant qu'il va nous protéger alors que, en fait, il est ce qui nous empêche de
prendre notre envol.

- *Le perfectionnisme n'est **pas** l'amélioration de soi.* Essentiellement, le perfectionnisme consiste à essayer d'obtenir
l'approbation et l'acceptation. La plupart des perfectionnistes ont grandi en étant félicités pour leurs accomplis-
sements et leurs performances (notes scolaires, bonnes
manières, respect des règles, plaire aux gens, apparence
physique, sports). Quelque part en chemin, on arrive à
adopter ce système de croyances dangereux et débilitant :
je suis ce que j'accomplis et dans quelle mesure je
l'accomplis bien. *Plais. Accomplis. Perfectionne.* L'effort,
quand il est sain, est axé sur soi : *Comment puis-je m'amé-
liorer?* Le perfectionnisme est axé sur les autres : *Que pen-
seront-ils?*

Comprendre la différence entre l'effort sain et le perfectionnisme est essentiel pour reprendre sa vie en main et déposer le
bouclier de vingt tonnes. Les recherches nous montrent que le
perfectionnisme entrave la réussite. Il est souvent, à vrai dire, le
chemin de la dépression, de l'anxiété, de la dépendance et du
blocage existentiel[17]. Le terme *blocage existentiel* fait référence
à toutes les occasions qu'on rate parce qu'on a trop peur d'exposer quelque chose qui pourrait être imparfait. Il fait référence à

---

17. Joe Scott, « The Effect of Perfectionism and Unconditional Self-Accep-
tance on Depression », *Journal of Rational-Emotive and Cognitive-
Behavior Therapy* 25, no 1 (2007): 35-64; Anna M. Bardone-Cone,
Katrina Sturm, Melissa A. Lawson, D. Paul Robinson et Roma Smith,
« Perfectionism across Stages of Recovery from Eating Disorders »,
International Journal of Eating Disorders 43, no 2 (2010); 139-48;
Hyunjoo Park, P. Paul Heppner et Dong-gwi Lee, « Maladaptive Coping
and Self-Esteem as Mediators between Perfectionism and Psychologi-
cal Distress », *Personality and Individual Differences* 48, no 4 (mars
2010): 469-74.

tous les rêves auxquels on renonce à cause de la peur profonde de l'échec, de faire des erreurs et de décevoir les autres. Lorsqu'on est perfectionniste, prendre un risque est terrifiant, car notre valeur personnelle est menacée.

J'ai réuni ces trois idées pour façonner une définition du perfectionnisme (puisque vous savez combien j'adore joindre des mots autour de mes difficultés!). C'est long, mais Dieu sait que ça m'a aidée! Il s'agit également de la définition la «plus demandée» sur mon blogue.

- *Le perfectionnisme incarne un système de croyances auto-destructeur et addictif qui nourrit cette réflexion première:* Si j'ai une apparence parfaite, que je vis parfaitement et que je fais tout parfaitement, je peux éviter ou du moins minimiser les sentiments douloureux de la honte, du juge-ment et du blâme.

- *Le perfectionnisme est autodestructeur pour la simple et bonne raison que la perfection n'existe pas. La perfection est un but inatteignable. De surcroît, le perfectionnisme est plus une question de perception: on veut être perçu comme étant parfait. Encore une fois, cela est inattei-gnable: il n'existe aucun moyen de contrôler la perception des autres, quels que soient le temps et l'énergie que nous investissons à y parvenir.*

- *Le perfectionnisme est addictif pour la raison suivante: quand on fait invariablement l'expérience de la honte, du jugement ou du blâme, on croit souvent que c'est parce qu'on n'a pas été suffisamment parfait. On devient alors encore plus entêté dans l'idée fixe de la perfection dans notre vie, dans notre apparence et dans nos accomplisse-ments, au lieu de remettre en question la fausse logique du perfectionnisme.*

- *Se sentir honteux, jugé ou blâmé (et la peur de se sentir ainsi) est une simple réalité de l'expérience humaine. Le perfectionnisme augmente les probabilités de vivre ces émotions pénibles et aboutit souvent à s'autoblâmer:* C'est ma faute. Je me sens comme ça parce que «je ne suis pas à la hauteur».

Pour venir à bout du perfectionnisme, nous avons besoin de reconnaître notre vulnérabilité au regard des expériences universelles de la honte, du jugement et du blâme; de construire une résilience à la honte; et de pratiquer la compassion envers soi. Quand on devient plus aimant et plus compatissant envers soi-même et qu'on commence à pratiquer la résilience à la honte, il devient possible d'accueillir nos imperfections. C'est en accueillant nos imperfections que nous découvrons nos véritables grâces: le courage, la compassion et la connexion.

Selon mes données, je ne pense pas que certaines personnes soient perfectionnistes et d'autres pas. Je crois plutôt que le perfectionnisme se situe sur un continuum. Nous avons tous quelques tendances perfectionnistes. Pour certains, le perfectionnisme n'émerge qu'en situation de grande vulnérabilité. Pour d'autres, il est compulsif, chronique, débilitant, semblable à une dépendance.

Quand je me suis mise à travailler sur mon perfectionnisme, j'y suis allée une pièce dysfonctionnelle à la fois. Ce faisant, j'ai enfin compris (au fond de moi) la différence entre perfectionnisme et accomplissement sain. Pour vaincre le perfectionnisme, deux étapes sont critiques: explorer ses peurs et changer nos dialogues intérieurs.

Voici mon exemple:

Comme nombre de femmes, je suis aux prises avec mon image corporelle, ma confiance en moi et ma relation toujours compliquée entre émotions et nourriture. Voici la différence entre des diètes perfectionnistes et des objectifs sains.

Monologue intérieur perfectionniste : « Ark. Aucun vêtement ne me fait. Je suis grosse et laide. J'ai honte de mon apparence. J'ai besoin d'être différente de ce que je suis en ce moment pour être digne d'amour et d'appartenance. »

Monologue intérieur sain : « Je veux ce changement pour moi. Je veux me sentir mieux et être plus en santé. Le pèse-personne ne me dicte pas si je suis aimée et acceptée. Si je crois être digne d'amour et de respect maintenant, je vais inviter le courage, la compassion et la connexion dans ma vie. Je veux trouver des solutions pour moi. Je peux y arriver. »

Pour moi, les résultats de ce tournant ont été transformateurs. Le perfectionnisme n'a mené à aucun résultat, sinon au beurre d'arachide.

J'ai aussi dû compter sur une vieille stratégie : « Fais semblant d'être capable jusqu'à ce que tu le sois. » Je le vois comme une pratique de l'imperfection. Par exemple, tout de suite après avoir commencé à travailler sur cette définition, quelques amis sont venus nous voir à la maison. Ma fille Ellen, qui avait alors neuf ans, s'est écriée : « M'man ! Don et Julie sont à la porte ! » C'était le bordel dans la maison, et la voix d'Ellen me permettait de savoir qu'elle pensait : *Oh, non ! Maman va capoter.*

J'ai répondu : « Juste un instant ! » alors que je me dépêchais de m'habiller. Elle a couru à ma chambre pour me demander : « Veux-tu que je ramasse ? »

J'ai dit : « Non, je ne fais que m'habiller. Je suis super contente qu'ils soient ici. Quelle belle surprise! Et on s'en fout de la maison!» Puis, je me suis recueillie dans une Prière de la Sérénité.

Donc, si nous désirons vivre et aimer sans réserve, comment empêcher le perfectionnisme de saboter nos efforts? Quand j'ai passé en entrevue les femmes et les hommes qui s'engageaient à s'ouvrir au monde avec authenticité et dignité, j'ai compris qu'ils avaient beaucoup en commun au regard du perfectionnisme.

D'abord, ils parlaient de leurs imperfections d'une manière tendre et sincère, dénuée de honte et de peur. Ensuite, ils étaient réticents à juger les autres et eux-mêmes. Ils semblaient percevoir le monde en se disant : *Tout le monde fait du mieux qu'il peut.* Leur courage, leur compassion et leur connexion paraissaient enracinés dans leur manière de se traiter eux-mêmes. Je ne savais pas trop comment cerner ces attributs, mais j'ai présumé qu'ils étaient des qualités distinctes les unes des autres. Jusqu'à ce que je découvre, il y a deux ans, le travail du Dr Kristin Neff sur la compassion envers soi. Jetons un coup d'œil sur le concept de la compassion envers soi-même et sur les raisons qui la rendent essentielle à la pratique de l'authenticité et à l'accueil de nos imperfections.

La compassion envers soi

Un moment de compassion envers vous-même peut changer votre journée. Une succession de tels moments peut transformer le cours de votre vie.

– CHRISTOPHER K. GERMER[18]

---

18. Christopher K. Germer, *The Mindful Path to Self-Compassion : Freeing Yourself from Destructive Thoughts and Emotions* (New York : Guilford Press, 2009).

Dr Kristin Neff est chercheuse et professeure à l'Université du Texas à Austin. Elle dirige le Self-Compassion Research Lab où elle étudie comment développer et pratiquer la compassion envers soi. Selon Neff, la compassion envers soi-même réunit trois éléments : la bonté envers soi, le sentiment d'humanité et la pleine conscience[19]. Voici une définition abrégée pour chacun d'eux :

- *La bonté envers soi* : Être chaleureux et compréhensif envers soi lorsqu'on souffre, lorsqu'on échoue ou lorsqu'on ne se sent pas à la hauteur, plutôt que d'ignorer notre douleur ou de nous autoflageller.

- *Le sentiment d'humanité* : Ce sentiment reconnaît que la souffrance et l'autodévalorisation font partie de l'expérience humaine, qu'ils représentent une difficulté que tout le monde vit, et non une épreuve qui nous arrive uniquement à nous.

- *La pleine conscience* : Aborder avec discernement les émotions négatives, de sorte qu'elles ne soient ni réprimées ni exagérées. On ne peut pas à la fois ignorer notre souffrance et avoir de la compassion pour elle. La pleine conscience permet de ne pas « sur-identifier » les sentiments et les pensées afin de ne pas laisser le négatif nous submerger.

Une des nombreuses choses que j'aime de l'ouvrage de Kristin Neff est sa définition de la *pleine conscience*. Beaucoup d'entre nous pensent qu'être pleinement conscients signifie de ne pas éviter les émotions douloureuses. La définition de Neff nous rappelle que la pleine conscience consiste tout autant à ne

---

19. Kristin D. Neff, « Self-Compassion : An Alternative Conceptualization of a Healthy Attitude Toward Oneself », *Self and Identity* 2 (2003) : 85-101.

pas nous *sur-identifier* à nos sentiments qu'à ne pas les exagérer. Je pense que c'est la clé pour ceux d'entre nous qui luttent avec le perfectionnisme. Je vais vous en donner le «parfait» exemple.

Récemment, j'ai contacté une auteure par courriel pour lui demander si je pouvais citer son ouvrage dans le présent livre. J'ai inclus dans mon courriel le passage exact que je désirais intégrer afin qu'elle puisse faire un choix éclairé. Elle m'a généreusement répondu oui, mais elle m'a mise en garde de ne pas utiliser le paragraphe tel que cité dans mon courriel puisque j'avais fait une faute dans son nom.

Je suis alors entrée dans une véritable paralysie perfectionniste. *Oh mon Dieu! Je lui écris pour lui demander si je peux citer son travail et je m'arrange pour faire une faute dans son nom. Elle doit penser que je ne suis qu'une écrivaillonne. Comment ai-je pu être aussi négligente?* Ce ne fut pas un orage de la honte (je ne me suis pas laissé engloutir aussi loin), mais il reste que je n'ai pas réagi avec compassion envers moi-même. Je suis passée près de «laisser le négatif me submerger». Par chance, un brouillon du présent chapitre se trouvait sur la table à côté de moi. Je l'ai regardé et j'ai souri. *Sois indulgente envers toi-même, Brené. Ce n'est vraiment pas grave.*

L'exemple de cet échange de courriels vous montre à quel point mon perfectionnisme et mon manque de compassion envers moi-même peuvent aboutir en un éclair au jugement. Je me vois comme une écrivaillonne négligente à cause d'une seule petite faute d'orthographe. Dans un même ordre d'idées, lorsque je reçois un courriel où se trouvent des fautes, j'ai tendance à porter des jugements péremptoires. Cela devient dangereux si Ellen vient me voir et dit: «J'ai envoyé un courriel à mon professeur et j'ai accidentellement fait une faute dans son nom.» Est-ce que je lui réponds: «Quoi? C'est inacceptable!» ou plutôt: «J'ai fait la même chose, tout le monde fait des erreurs.»

Le perfectionnisme ne se déploie pas dans le vide. Il déteint sur tous les gens autour de nous. Nous le transmettons à nos enfants, nous infectons nos lieux de travail avec d'impossibles attentes, et cela est suffocant pour nos amis et nos familles. Heureusement que la compassion se répand tout aussi vite. Quand on est indulgent envers soi-même, on crée un réservoir de compassion auquel peuvent s'abreuver les autres. Nos enfants apprennent la compassion envers eux-mêmes en prenant exemple sur nous, et les personnes de notre entourage se sentent alors libres d'être authentiques et connectés.

DÉPASSEZ-VOUS

Faites preuve de résolution: Un des outils qui m'a aidée à éclaircir mes intentions quant à la compassion envers soi est l'«Échelle d'autocompassion» de Kristin Neff[20]. C'est un court test qui mesure les éléments de l'autocompassion (bonté envers soi, humanité, pleine conscience) et les obstacles qui l'empêchent (autojugement, isolement, sur-identification). Cette échelle m'a guidée et m'a fait prendre conscience que je gère très bien en ce qui concerne l'humanité et la pleine conscience, mais que la bonté envers moi-même nécessite mon attention continue. L'Échelle d'autocompassion ainsi que d'autres excellentes informations se trouvent disponibles sur le site Internet de Kristin Neff: *www.self-compassion.org*.

Inspirez-vous: La plupart d'entre nous essaient de vivre une vie authentique. Au fond de nous-mêmes, nous voulons retirer les masques et nous montrer sincères et imparfaits. Dans la chanson *Anthem* de Leonard Cohen, il y a un extrait qui me sert d'aide-mémoire quand j'arrive à un point où j'essaie de tout

---

20. Kristin D. Neff, «The Development and Validation of a Scale to Measure Self-Compassion», *Self and Identity* 2 (2003): 223-50.

contrôler et de tout réussir parfaitement[21]. Cet extrait est le suivant : « There is a crack in everything. That's how the light gets in. » [Tout est fissuré. C'est ainsi que la lumière peut entrer.] Beaucoup trop d'entre nous se précipitent pour colmater totalement ces fissures, pour tout faire paraître lisse. Cet extrait me remet à l'esprit leur beauté (la maison bordélique et le manuscrit imparfait et les jeans trop serrés). Il me rappelle aussi que nos imperfections ne sont pas des inaptitudes ; ces dernières nous rappellent que nous sommes tous ensemble dans la même aventure. Imparfaitement, mais ensemble.

Agissez : Parfois, je trouve utile de me lever le matin en me disant : « Aujourd'hui, je vais croire que vivre est suffisant. »

Et vous, comment vous dépassez-vous ?

---

21. Leonard Cohen, « Anthem », *The Future*, 1992, Columbia Records.

Cultiver un esprit résilient

LÂCHER PRISE SUR
L'ENGOURDISSEMENT ET L'IMPUISSANCE

*Il lui était impossible de revenir en arrière et
d'enjoliver certains détails. Tout ce qu'elle pouvait
faire était d'avancer et de rendre le tout magnifique.*

– TERRI ST. CLOUD [22]

La résilience (la capacité de surmonter l'adversité) est devenue un champ d'étude en pleine croissance depuis le début des années 1970. Dans un monde assailli par la lutte et le stress, tout le monde – psychologues, psychiatres, travailleurs sociaux, jusqu'aux chercheurs en justice criminelle et au clergé – est curieux de savoir pourquoi et comment certaines personnes arrivent mieux que d'autres à rebondir d'une épreuve. On veut comprendre pourquoi certains êtres humains sont capables de surmonter le stress et les traumatismes d'une manière qui les fera progresser dans leur vie, et pourquoi d'autres paraissent en sortir plus démunis et plus affectés.

Alors que je recueillais et analysais mes données, j'ai constaté que plusieurs personnes que j'interviewais racontaient des histoires de résilience. Des histoires où elles cultivaient une vie sans réserve malgré l'adversité. J'ai vu que des gens étaient capa-

---

22. Cité avec la permission de Terri St. Cloud, *www.bonesigharts.com.*

bles de demeurer pleinement conscients et authentiques sous le poids du stress et de l'anxiété, et je les ai écoutés décrire comment ils parvenaient à transmuter un traumatisme en prospérité intérieure.

Ce ne fut pas très difficile de constater que ces histoires étaient des récits de résilience, car j'étais déjà bachelière à l'âge d'or des recherches sur la résilience. Je savais qu'au fond de ces narrations se trouvaient ce qu'on appelle des *facteurs de protection*: les choses que nous avons, faisons, pratiquons, qui nous donnent le rebond nécessaire.

Qu'est-ce qui fait la résilience?

Si vous étudiez les recherches qui se font actuellement, vous remarquerez cinq des facteurs les plus courants chez les personnes résilientes:

1. Elles sont pleines de ressources et ont de bonnes stratégies de résolution de problèmes.

2. Elles ont plus tendance à chercher de l'aide.

3. Elles croient fermement qu'elles sont capables de gérer leurs sentiments et de s'en sortir.

4. Elles disposent d'un réseau de soutien social.

5. Elles sont connectées avec les autres, par exemple avec la famille ou les amis[23].

Bien sûr, il y a d'autres facteurs selon les chercheurs, mais ceux-là sont les plus importants.

J'espérais d'abord que les modèles observés dans mes recherches me guideraient vers une conclusion très simple: la résilience fait partie intégrante d'une vie sans réserve (tout comme les autres balises). Mais il y avait quelque chose de plus dans les histoires que j'entendais. Ces histoires avaient davantage en commun que l'unique résilience; elles contenaient toutes quelque chose de spirituel.

D'après les personnes que j'ai interviewées, ces «facteurs de protection» (ce qui leur permettait de «rebondir») étaient ancrés dans leur spiritualité. Et par spiritualité, je ne parle pas de religion ou de théologie, mais d'une croyance profondément acquise et partagée. À la lumière de ces entrevues, voici comment je définis la *spiritualité*:

> *La spiritualité est de reconnaître et de célébrer le fait que nous sommes tous inextricablement connectés les uns aux autres par une puissance plus grande que nous tous et que notre connexion les uns aux autres et à cette puissance trouve ses racines dans l'amour et la compassion. Avoir une spiritualité, c'est insuffler une vision, un sens et un but à notre vie.*

Sans exception, la spiritualité (la croyance dans une connexion avec une puissance plus grande que nous et dans des interconnexions, enracinée dans l'amour et la compassion) est apparue comme une composante de la résilience. La majeure partie des gens parlaient de Dieu, mais pas tous. Quelques-uns

---

23. Suniya S. Luthar, Dante Cicchetti et Bronwyn Becker, «The Construct of Resilience: A Critical Evaluation and Guidelines for Future Work», *Child Development* 71, no 3 (2000): 543-62; Suniya S. Luthar et Dante Cicchetti, «The Construct of Resilience: Implications for Interventions and Social Policies», *Development and Psychopathology* 12 (2000): 857-85; Christine E. Agaibi et John P. Wilson, «Trauma, PTSD, and Resilience: A Review of the Literature», *Trauma, Violence, and Abuse* 6, no 3 (2005): 195-216; Anthony D. Ong, C.S. Bergeman, Toni L. Bisconti et Kimberly A. Wallace, «Psychological Resilience, Positive Emotions, and Successful Adaptation to Stress in Later Life», *Journal of Personality and Social Psychology* 91, no 4 (2006): 730-49.

fréquentaient l'église sur une base régulière; d'autres, non. Certains priaient en allant à la pêche; d'autres, dans des temples, des mosquées ou à la maison. Une partie d'entre eux mettaient en doute l'idée même de religion; d'autres étaient des membres fervents de groupes religieux. Ce qu'ils avaient en commun était la spiritualité comme assise de leur résilience.

Sachant cela, trois autres modèles significatifs me sont apparus essentiels à la résilience:

1. Cultiver l'espoir;

2. Pratiquer la conscience critique;

3. Lâcher pise sur l'engourdissement et la tentation de fuir la vulnérabilité, le malaise intérieur et la douleur.

Examinons chacun d'eux et comment ils sont connectés à la résilience et à la vie spirituelle.

L'espoir et l'impuissance

Comme chercheuse, je ne peux pas trouver deux mots qui soient plus incompris qu'*espoir* et *pouvoir*. Dès que je me suis rendu compte que l'espoir était une pièce importante d'une vie sans réserve, je me suis mise à chercher et j'ai découvert le travail de C.R. Snyder, ancien chercheur à l'Université du Kansas, à Lawrence[24]. Comme nombre de personnes, j'avais toujours associé l'espoir à une émotion: un genre de sentiment chaleureux d'optimisme et de potentiel. J'avais tort.

---

24. C. R. Snyder, *Psychology of Hope: You Can Get There from Here*, éd. livre de poche (New York: Free Press, 2003); C. R. Snyder, «Hope Theory: Rainbows in the Mind», *Psychological Inquiry* 13, no 4 (2002): 249-75.

Je fus stupéfaite d'apprendre que l'espoir n'est *pas* une émotion, c'est une ligne de pensée ou un processus cognitif. Les émotions y jouent un rôle de soutien, mais l'espoir est bel et bien un processus de pensée construit par ce que Snyder appelle une triade d'objectifs, de voies et de pouvoir d'agir[25]. Pour le dire en des mots simples, l'espoir se manifeste :

- quand on est capable de se fixer des buts réalistes (*Je sais où je veux aller*);

- quand on est capable de déterminer comment atteindre ces buts, notamment en étant prêts à rester flexibles et à emprunter diverses routes (*Je sais comment y arriver, je suis persévérant, je peux surmonter la déception et essayer encore*);

- quand on croit en soi-même (*Je peux le faire!*).

Aussi l'espoir est-il une combinaison d'objectifs tracés, de persévérance et de ténacité, ainsi que de la foi en nos propres habiletés.

Et comme si cela n'était pas suffisamment nouveau, je vous présente la suite : l'espoir s'apprend! Snyder avance que nous apprenons la pensée optimiste et résolue à travers les autres. Les enfants apprennent le plus souvent l'espoir de leurs parents. Snyder affirme que, pour apprendre l'espérance, les enfants ont besoin de relations caractérisées par des frontières, la cohérence et le soutien moral. Je pense qu'il est tout à fait inspirant de savoir que j'ai le pouvoir d'apprendre à mes enfants comment espérer. Ce n'est guère un coup de dés. C'est un choix conscient.

---

25. C. R. Snyder, Kenneth A. Lehman, Ben Kluck et Yngve Monsson, « Hope for Rehabilitation and Vice Versa », *Rehabilitation Psychology* 51, no 2 (2006) : 89-112; C.R. Snyder, « Hope Theory : Rainbows in the Mind », *Psychological Inquiry* 13, no 4 (2002) : 249-75.

Pour ajouter au travail de Snyder sur l'espoir, j'ai découvert dans mes recherches que les hommes et les femmes qui se considèrent optimistes accordent beaucoup de valeur à la persévérance et au dur labeur. La récente croyance culturelle que tout devrait être *plaisant, rapide et facile* est incohérente avec un mode de pensée basé sur l'espoir. Cette croyance nous dirige également vers le désespoir. Quand nous essayons quelque chose de difficile, quelque chose qui requiert du temps et des efforts importants, nous sommes prompts à penser : *C'est censé être facile; ça ne vaut pas la peine,* ou *Ça devrait être plus facile : c'est difficile et pénible uniquement parce que je ne suis pas doué pour ça.* La pensée optimiste se dit plutôt : *Ce n'est pas évident, mais je peux y arriver.*

À l'autre extrême, pour ceux d'entre nous qui ont tendance à croire que tout ce qui vaut la peine est forcément souffrant et difficile (bienvenue dans le club), j'ai aussi appris que la combinaison du *jamais plaisant, rapide et facile* est aussi nuisible à l'espoir que *toujours plaisant, rapide et facile.* Compte tenu de mes capacités à poursuivre un objectif et à ne pas en démordre tant que je ne l'ai pas essoré goutte à goutte, je n'ai pas aimé apprendre cela. Avant ces recherches il me semblait qu'une chose ne valait pas le coup s'il n'y avait pas du sang, de la sueur et des larmes. J'étais dans l'erreur. Encore.

Nous développons un état d'esprit optimiste quand nous comprenons que certaines entreprises dignes de valeur seront difficiles et prenantes et nullement agréables. L'espoir nous demande aussi d'apprendre que même si l'atteinte d'un but se fait de manière *plaisante, rapide et facile,* cela ne signifie pas qu'il ait une valeur moindre que pour un objectif péniblement atteint. Si nous désirons cultiver l'espoir, nous devons accepter d'être flexibles et de montrer de la persévérance. Les objectifs ne sont pas plus identiques que ne le sont nos sensations à les poursuivre. La détermination, la tolérance à la déception et la foi en soi-même sont le cœur de l'espoir.

En tant que professeure et chercheuse universitaire, je passe beaucoup de temps avec des enseignants et des directeurs. Depuis deux ans, je suis de plus en plus préoccupée par le fait que nous éduquons des enfants qui tolèrent très peu la déception et qui ont un sens élevé du droit acquis, lequel est très différent du pouvoir d'agir. Le droit acquis affirme: «Je le mérite parce que je le veux» et le pouvoir d'agir dit: «Je sais que je peux y arriver.» La peur de la déception, le droit acquis et le fardeau de la performance sont ensemble une recette pour le désespoir et le doute de soi.

Le désespoir est dangereux parce qu'il débouche sur des sentiments d'impuissance. Comme le mot *espoir*, nous considérons souvent le pouvoir comme négatif. Il ne l'est pas. La meilleure définition du *pouvoir* nous vient de Martin Luther King Jr. Il a décrit le pouvoir comme étant la capacité d'effectuer un changement. Si vous doutez de votre besoin de pouvoir, pensez à ceci: *Comment vous sentez-vous lorsque vous vous croyez impuissant à changer quelque chose dans votre vie?*

Cette impuissance est dangereuse, elle aussi. Pour la majorité d'entre nous, l'incapacité d'effectuer des changements engendre un sentiment épouvantable. Il nous faut de la résilience, de l'espoir et un esprit qui peut nous transporter au-delà du doute et de la peur. Nous avons besoin de croire que nous pouvons effectuer des changements si nous voulons vivre et aimer sans réserve.

Pratiquer la conscience critique

Pratiquer la conscience critique consiste à déconstruire les messages et les attentes des diablotins qui nous répètent: «Jamais assez bien». Entre l'heure où nous nous réveillons et celle où nous posons la tête sur l'oreiller le soir, nous sommes bombardés de messages et d'attentes dans tous les aspects de notre vie. Dans les publicités des magazines et à la télévision, au cinéma et dans la musique, on se fait dire à quoi on doit ressembler, combien on doit peser, à quelle fréquence on doit faire l'amour, comment on doit jouer notre rôle de parent, comment on doit décorer nos maisons, quelle voiture on doit conduire... C'est un envahissement total et, à mon avis, personne n'y est immunisé. Essayer de fuir les messages véhiculés par les médias équivaut à retenir son souffle pour ne pas respirer d'air pollué : c'est impossible.

C'est inscrit dans notre biologie de croire ce que nous voyons avec nos yeux. Cela rend très dangereux le fait de vivre dans un monde soigneusement révisé, surproduit et *photoshoppé*. Si nous voulons cultiver un esprit résilient et cesser de tomber dans le piège de la comparaison de notre vie quotidienne aux images préfabriquées, nous devons savoir comment déconstruire ce que nous voyons. On doit se poser les questions suivantes et y répondre :

1. Ce que je vois est-il réel ? Ces images représentent-elles bien la vraie vie ou sont-elles une fantaisie ?

2. Ces images reflètent-elles une vie saine et sans réserve, ou transforment-elles mon existence, mon corps, ma famille et mes relations en objets et autres marchandises ?

3. Qui tire profit que je voie ces images et que je me sente mal à propos de moi-même ? *Un indice : C'est TOUJOURS une question d'argent et/ou de contrôle.*

En plus d'être essentielle à la résilience, la pratique de la conscience critique est, en fait, un des quatre éléments de la résilience à la honte. La honte fonctionne comme le zoom d'une caméra: quand on ressent la honte, la caméra est au maximum du zoom et tout ce qu'on voit alors est notre petite personne faillible, seule et en lutte. Nous pensons: *Suis-je la seule avec de l'embonpoint? Suis-je la seule à avoir une famille désordonnée, bruyante et indisciplinée? Suis-je la seule à ne pas faire l'amour 4,3 fois par semaine (avec un mannequin de chez Calvin Klein, évidemment)? Quelque chose ne tourne pas rond chez moi. Je suis seule.*

«Dézoomer» permet de voir un tableau complètement différent, car on voit alors de nombreuses personnes vivant les mêmes difficultés. Et au lieu de penser *Je suis la seule*, on commence à se dire: *Je n'arrive pas à y croire! Toi aussi? Je suis normale? Je pensais que c'était juste moi!* Lorsqu'on commence à voir davantage que l'arbre qui cache l'ensemble de la forêt, on est à mieux de vérifier les pièges qui déclenchent la honte, ainsi que les messages et les attentes qui nous font sentir qu'on n'est jamais à la hauteur.

Parmi mes expériences comme professeure et chercheuse sur la honte, j'ai trouvé une profondeur et une sagesse incroyables dans le travail de Jean Kilbourne et Jackson Katz. Tous les deux explorent la relation entre les messages des médias et les problèmes sociaux comme la violence, la pédophilie, la pornographie et la censure, la solitude et la masculinité, les grossesses précoces, la dépendance et les troubles alimentaires. Kilbourne écrit: «La publicité est une industrie qui gagne au-dessus de 200$ milliards par année. Nous sommes chacun exposés à plus de 3000 publicités par jour; pourtant, étrangement, la plupart d'entre nous croient ne pas être influencés par la publicité. La publicité vend davantage que ses produits. Elle vend des valeurs, des images, des concepts de succès et de mérite, l'amour et la sexualité, la popularité et la normalité. Elle nous dit qui nous sommes et qui nous devrions être. Parfois elle vend la dépendance[26].» Je recommande vivement les DVDs de Kilbourne et Katz : ils ont changé ma façon de percevoir le monde et moi-même. (Le plus récent DVD de Jean Kilbourne est *Killing Us Softly 4*[27], et celui de Katz est intitulé *Tough Guise : Violence, Media, and the Crisis in Masculinity*[28]).

Comme je l'ai mentionné plus tôt, pratiquer la spiritualité apporte une perspective, un sens et un but à notre vie. Quand nous nous laissons conditionner par la croyance que nous ne sommes pas à la hauteur, que nous ne gagnons pas assez ou ne possédons pas assez, notre âme en souffre. Voilà pourquoi je pense que pratiquer la conscience critique et la déconstruction est autant une affaire de spiritualité que de pensée critique.

L'engourdissement et la fuite

J'ai parlé avec de nombreux participants à mes recherches qui avaient tendance à se dévaloriser. Lorsque nous parlions de la manière dont ils géraient les émotions difficiles (comme la honte, le chagrin, la peur, le désespoir, la déception, la tristesse), j'entendais encore et encore le besoin de s'engourdir et de fuir les sentiments qui engendrent la vulnérabilité, le malaise et la douleur. Ces participants disaient adopter des comportements qui engourdissaient leurs sentiments ou qui les aidaient à éviter de ressentir de la douleur. Quelques-uns d'entre eux étaient on ne peut plus conscients que leurs comportements avaient un effet paralysant, alors que d'autres ne semblaient pas faire ce lien. Quand, à ce même propos, j'ai interviewé les participants

---

26. Jean Kilbourne, « Lecture Series : What Are Advertisers Really Selling Us? », http://jeankilbourne.com/?page_id=12.

27. *Killing Us Softly 4: Advertising's Image of Women*, DVD, réalisé par Sut Jhally (Northampton, MA : Media Education Foundation, 2010).

28. *Tough Guise : Violence, Media, and the Crisis in Masculinity*, DVD, réalisé par Sut Jhally (Northampton, MA : Media Education Foundation, 1999).

qui me semblaient vivre une vie sans réserve, les mêmes mots revenaient constamment: *essayer de ressentir pleinement leurs sentiments, rester conscients à l'égard de leurs comportements visant à s'engourdir, et tenter de se pencher sur le malaise engendré par les émotions pénibles.*

Je savais qu'il s'agissait d'une trouvaille cruciale dans mes recherches, alors j'ai fait plusieurs centaines d'entrevues pour arriver à mieux comprendre les conséquences du fait de s'engourdir, ainsi que le lien entre fuir ses sentiments et la dépendance. Voici ce que j'ai appris:

1. La majeure partie d'entre nous ont des comportements qui (consciemment ou non) aident à s'engourdir et à fuir la vulnérabilité, la douleur et le malaise.

2. La dépendance peut être décrite comme le fait d'engourdir, de manière chronique et compulsive, ses propres sentiments.

3. On ne peut pas sélectionner les émotions qu'on endort: quand on engourdit les émotions douloureuses, on engourdit également celles qui sont positives.

Les émotions les plus fortes que nous vivons sont faites de pointes aussi effilées que celles d'une épine. Quand elles nous piquent, elles causent un malaise et même de la douleur. La seule anticipation ou la seule peur de ces émotions peut déclencher en nous une sensation de vulnérabilité intolérable. Nous sentons l'émotion monter. Pour beaucoup d'entre nous, la première réaction à la vulnérabilité, ainsi qu'à la douleur des pointes effilées, n'est pas d'entrer dans la douleur et de la traverser, mais plutôt de la faire cesser. Nous arrivons à fuir la douleur avec ce qui nous procure le soulagement le plus expéditif. Cette anesthésie peut trouver son origine dans l'alcool, la drogue, la nourriture, le sexe, les relations, l'argent, le travail, le soin des autres, le jeu, les mille et une occupations, les aventures amoureuses, le chaos, le magasinage, la planification, le perfectionnisme, le changement constant et Internet.

Avant de mener ces recherches, je pensais que prendre un tel congé de ses sentiments était seulement une question de dépendance, mais je ne le crois plus. Je crois maintenant que tout le monde prend ce genre de congés, et que la dépendance est le fait d'avoir ces comportements sur une base chronique et compulsive. Dans mon étude, les hommes et les femmes que je considère comme totalement dévoués à vivre sans réserve n'étaient pas immunisés contre cet engourdissement. La différence majeure, c'est qu'ils semblaient être conscients des dangers de cet engourdissement et avaient développé la capacité de rester connectés à leurs émotions quand ils vivaient des expériences où ils étaient très vulnérables.

Il ne fait aucun doute pour moi que la génétique et la neurobiologie peuvent jouer un rôle crucial dans la dépendance, mais je crois aussi que d'innombrables personnes sont aux prises avec l'engourdissement émotionnel parce que le modèle pathologique de la dépendance ne correspond pas aussi bien à leur expérience personnelle qu'un modèle qui prendrait en compte les processus de cet engourdissement. Tout le monde n'a pas la même dépendance.

Au début de mes recherches, j'étais très familière avec la notion de dépendance. Si vous avez lu *I Thought It Was Just Me* ou si vous suivez mon blogue, vous savez probablement que je suis sobre depuis presque quinze ans maintenant. J'ai toujours été franche concernant mes expériences, mais je n'ai jamais vraiment écrit en détail sur ce sujet, car jusqu'à ce que j'entame mes nouvelles recherches sur la vie sans réserve, je ne comprenais pas cette notion.

Maintenant je saisis.

Ma confusion venait du fait que je ne m'étais jamais sentie tout à fait en synchronisme avec la communauté de la recouvrance (le Mouvement). L'abstinence et les Douze Étapes sont des principes puissants et profondément importants dans ma vie, mais il y a des aspects du mouvement de la recouvrance qui ne me conviennent pas. Par exemple, des millions de gens doivent le salut de leur vie au pouvoir de ces quelques mots : « Bonjour, je m'appelle (nom) et je suis alcoolique. » Or, cela ne m'a jamais correspondu. Même si je suis reconnaissante d'être sobre, et convaincue que cette décision a radicalement changé ma vie, dire ces mots m'a toujours paru déresponsabilisant et étrangement fourbe.

Je me suis souvent demandé si ma sensation de ne pas être à l'aise dans le Mouvement venait du fait que j'ai quitté beaucoup de choses en même temps. Ma première marraine ne savait pas quel genre de *meeting* répondrait à mes besoins et elle était perplexe devant mon « fond très profond » (j'ai cessé de boire parce que je voulais en apprendre plus sur ma véritable personne, et mon personnage de fille de party ne cessait de m'obstruer la route). Un soir, elle m'a regardée en disant : « Vous avez un amalgame de dépendances, un peu de tout. Pour ne pas prendre de risque, il vaudrait mieux que vous arrêtiez de boire, de fumer, de trop manger et de vous mêler constamment des affaires de votre famille. »

Je me rappelle l'avoir dévisagée, avoir lancé ma fourchette sur la table et dit : « Eh bien, voilà qui est super. J'aurai sûrement beaucoup de temps libre pour tous les *meetings*. » Je n'ai jamais trouvé celui qui me correspondait. J'ai cessé de boire et de fumer le lendemain où j'ai fini ma maîtrise, et je suis allée à suffisamment de *meetings* pour travailler sur les Douze Étapes et avoir un an de sobriété à mon actif.

Maintenant je sais pourquoi.

J'ai passé le plus clair de ma vie à essayer de vaincre la vulné-rabilité et l'incertitude en moi. Je n'ai pas été élevée avec les outils et la pratique émotionnelle nécessaires pour «accueillir l'inconfort», alors avec le temps je suis devenue, pour ainsi dire, une «alcoolique de la fuite de ses émotions». Mais il n'y a pas de *meetings* pour ça. Et après quelques expériences, j'ai appris que décrire ainsi sa dépendance dans un *meeting* ne fait pas toujours bon ménage avec les puristes.

En ce qui me concerne, il n'y avait pas que les pistes de danse, la bière froide et les cigarettes Marlboro de ma jeunesse qui fuyaient mon contrôle : il y avait également le pain aux bananes, les croustilles et le fromage, les courriels, le travail, les occupations incessantes, le souci constant, la planification à outrance, le perfectionnisme, et tout ce qui pouvait bâillonner ces atroces et anxieuses sensations de vulnérabilité.

Quelques-unes de mes amies ont réagi à ma prise de con-science (je suis une intoxiquée de la fuite de mes émotions) en s'inquiétant de leurs propres habitudes : «Je bois quelques verres de vin chaque soir : est-ce mauvais ? », «Je vais toujours magasiner lorsque je suis nerveuse ou déprimée», «Je ne me sens pas normale si je ne me tiens pas occupée. »

Encore une fois, après des années de recherche, je suis per-suadée que nous avons tous tendance à nous engourdir et à fuir certaines émotions. La question est celle-ci : est-ce que notre _____ (alimentation, consommation d'alcool, dépenses d'argent, jeu, sauvetage du monde, commérage inces-sant, perfectionnisme, semaine de soixante heures) nuit à notre authenticité ? Nous empêche d'être émotionnellement sincères ? Nous empêche de pouvoir établir nos limites ou de nous sentir à la hauteur ? Nous porte à juger et nuit à notre sentiment de con-nexion ? Nous en servons-nous pour nous cacher ou pour fuir la réalité de notre vie ?

Ma vie entière a changé quand j'ai compris mes comportements et mes sentiments à travers les lentilles de la vulnérabilité plutôt que de celles de la stricte dépendance. Cette prise de conscience a renforcé mon engagement à la sobriété, à l'abstinence, à la santé et à la spiritualité. Je peux assurément dire: «Bonjour. Je m'appelle Brené. Aujourd'hui j'aimerais m'occuper d'incertitude et de vulnérabilité avec une brioche, une bière et une cigarette, tout en passant sept heures sur Facebook.» Cela me paraît inconfortablement honnête.

Quand on engourdit la noirceur, on engourdit la lumière

Lors d'une autre surprenante découverte, mes recherches m'ont aussi enseigné que l'engourdissement émotionnel sélectif n'existe pas. Le spectre des émotions humaines est vaste et quand nous engourdissons la noirceur, nous engourdissons également la lumière. Tandis que je «fuyais» la douleur et la vulnérabilité, j'éloignais aussi, involontairement, les sentiments positifs comme la joie. En rétrospective, je ne peux pas imaginer une découverte qui ait transformé ma vie quotidienne plus que celle-là. Maintenant, je peux entrer dans la joie, même quand cela me fait sentir tendre et vulnérable. En fait, je veux du tendre et du vulnérable.

La joie est aussi pointue et effilée que les émotions sombres. Aimer ardemment quelqu'un, croire en quelque chose avec toute sa foi, célébrer un moment éphémère, s'engager pleinement dans une vie qui n'offre pas de garanties: ce sont des risques qui impliquent la vulnérabilité et souvent la douleur. Quand nous perdons notre tolérance à l'inconfort, nous égarons la joie. À vrai dire, les recherches sur la dépendance démontrent qu'une expérience intensément positive a autant de risques de causer une rechute qu'une expérience intensément doulou-reuse[29].

On ne peut pas faire une liste de toutes les «mauvaises» émotions et dire : «Je vais les engourdir», puis faire une liste des émotions positives en affirmant : «Je vais me consacrer à elles!» Vous imaginez le cercle vicieux que cela produit : Je ne ressens pas beaucoup de joie alors je n'ai pas de réservoir dans lequel puiser quand les choses difficiles arrivent. Ces dernières se font encore plus douloureuses, alors j'engourdis. J'engourdis, alors je ne ressens pas la joie. Et ainsi de suite.

Nous parlerons davantage de la joie dans le chapitre suivant. Pour l'instant, alors que les pointes aiguisées ont commencé à revenir dans ma propre vie, je retiens qu'entrer dans l'inconfort de la vulnérabilité nous enseigne à vivre avec joie, gratitude et grâce. Je retiens aussi que cette entrée dans l'inconfortabilité et la vulnérabilité nécessite autant d'esprit que de résilience.

La chose la plus difficile que je propose dans le présent chapitre se résume dans une question que plusieurs me posent (en particulier mes collègues du monde universitaire) : la spiritualité est-elle une composante nécessaire à la résilience? La réponse est *oui*.

Les sentiments de désespoir, de peur, de reproche, de douleur, d'inconfort, de déconnexion et de vulnérabilité sabotent la résilience. La seule énergie qui puisse être suffisamment ample

---

29. Gerard J. Connors, Stephen A. Maisto et William H. Zywiak, «Male and Female Alcoholics' Attributions Regarding the Onset and Termination of Relapses and the Maintenance of Abstinence», *Journal of Substance Abuse* 10, no 1 (1998) : 27-42; G. Alan Marlatt et Dennis M. Donovan, *Relapse Prevention : Maintenance Strategies in the Treatment of Addictive Behaviors*, 2e éd. (New York : Guilford Press, 2007); Norman S. Miller et Mark S. Gold, «Dissociation of "Conscious Desire" (Craving) from and Relapse in Alcohol and Cocaine Dependance», *Annals of Clinical Psychology* 6, no 2 (1994) : 99-106.

et farouche pour nous aider à affronter une telle liste est la croyance que nous sommes tous ensemble dans le même bateau, et que quelque chose de plus grand que nous a la capacité d'apporter l'amour et la compassion dans nos vies.

Je rappelle que je n'ai pas trouvé une seule interprétation spirituelle qui ait le dessus sur les autres au regard de la résilience. Oublions les noms et les dogmes. Pratiquer la spiritualité est ce qui nous apporte la guérison et ce qui crée la résilience. Pour moi, la spiritualité, c'est me connecter avec Dieu, et je le fais le plus souvent grâce à la nature, à la musique et à ma communauté. Nous devons tous définir la spiritualité d'une façon qui nous inspire.

Que nous voulions surmonter l'adversité, survivre à un traumatisme ou gérer le stress et l'anxiété, donner un sens et une vision à notre vie nous permet de mieux comprendre et d'avancer. Sans vision, sans but ni perspective, il est facile de perdre espoir, d'engourdir nos émotions ou de nous laisser envahir par les circonstances. Nous nous sentons alors réduits, handicapés, perdus devant la perspective du combat. Le cœur de la spiritualité, c'est la connexion. Dès lors que nous avons foi en cette inextricable connexion, nous ne nous sentons pas seuls.

Dépassez-vous

Faites preuve de résolution: Une de mes bonnes amies a entendu parler d'un aide-mémoire merveilleux pendant un *meeting* des Douze Étapes. Je l'adore! On le nomme le test des voyelles: A E I O U Y.

> A = Ai-je été **A**bstinent aujourd'hui? (Peu importe comment vous définissez ce mot; personnellement, l'abstinence est particulièrement difficile lorsqu'il est question de nourriture, de travail et d'ordinateur.)

E = Ai-je fait de l'**E**xercice aujourd'hui?

I = Qu'ai-je fait dans mes **I**nteractions avec les autres aujourd'hui?

O = Qu'ai-je fait d'**O**ptimiste pour moi aujourd'hui?

U = Ai-je eu **U**ne émotion inexprimée aujourd'hui?

Y = **Y**oupi! Qu'est-ce qui est arrivé de bon aujourd'hui?

Inspirez-vous: Je m'inspire de cette citation par l'auteure et la chercheuse Elisabeth Kübler-Ross: «Les gens sont comme des vitraux. Ils étincellent quand le soleil est haut, mais lorsque les ténèbres s'installent, leur beauté se révèle uniquement si une lumière les habite à l'intérieur.» Je continue de croire que la lumière intérieure que j'ai perçue chez les personnes résilientes que j'ai interviewées était leur esprit. J'adore cette idée d'être «allumé de l'intérieur».

Agissez: J'aime beaucoup les méditations et les prières quotidiennes. Parfois, le meilleur moyen de continuer, pour moi, est une prière silencieuse.

Et vous, comment vous dépassez-vous?

♥

Cultiver la reconnaissance et la joie

LÂCHER PRISE SUR
LE MANQUE ET LA PEUR DU NOIR

Je vous ai mentionné plus tôt à quel point j'ai été surprise de voir que certains concepts de mes recherches existaient en paires ou en groupes. Ces «ensembles de concepts» ont produit chez moi des changements majeurs de modèles concernant ma vie et mes choix que je fais quotidiennement.

Un bon exemple de cela est le lien entre l'amour et l'appartenance. Je comprends désormais que, pour ressentir un véritable sentiment d'appartenance, il m'est nécessaire de m'afficher telle que je suis, et cela ne peut se faire qu'en pratiquant l'amour de soi. J'ai cru, des années durant, qu'il fallait vivre le contraire: je ferai tout pour m'intégrer, je me sentirai acceptée, et alors je pourrai mieux aimer ma propre personne. (*Le simple fait d'écrire ces mots et de penser à toutes ces années où je vivais ainsi me rend lasse. Pas étonnant que j'aie été fatiguée pendant si longtemps!*)

À plusieurs égards, ces recherches ne m'ont pas seulement enseigné de nouvelles façons de penser à comment je veux vivre et aimer, mais elles m'ont aussi éclairée sur la relation entre mes expériences et les choix que je fais. Un des changements les plus profonds qui se soient produits chez moi est celui qui m'a ouverte à la relation entre la reconnaissance et la joie. J'avais toujours pensé que les personnes contentes étaient des personnes reconnaissantes. Je veux dire : pourquoi ne le seraient-elles pas ? Elles sont contentes de leur vie, alors elles sont reconnaissantes pour cela. Mais après avoir passé d'innombrables heures à écouter des histoires sur la joie et la reconnaissance, trois tendances importantes me sont apparues :

- Sans exception, chaque personne interviewée qui me disait vivre une vie joyeuse, ou qui se décrivait comme quelqu'un de joyeux, pratiquait activement la reconnaissance et associait leur joie à cette pratique.

- La joie et la reconnaissance étaient toutes deux décrites comme des pratiques spirituelles qui trouvaient leur origine dans l'interconnexion humaine et dans une puissance plus grande que nous.

- Les personnes interviewées faisaient spontanément remarquer les différences entre le bonheur et la joie, c'est-à-dire entre une émotion humaine liée aux circonstances et une façon spirituelle de s'ouvrir au monde qui est connectée à la pratique de la reconnaissance.

La reconnaissance

Lorsqu'il est question de reconnaissance, le mot qui m'a sauté aux yeux pendant ces recherches a été *pratique*. Je ne sais pas si un autre chercheur aurait été aussi stupéfait d'entendre cela, mais pour moi qui croyais que la connaissance était plus importante que la pratique, j'ai trouvé que ce mot était un appel à l'action. En fait, je pourrais dire que c'est le fait d'avoir reconnu avec réticence l'importance de la pratique qui a suscité ~~ma dépression~~ mon Éveil Spirituel en 2007.

Pendant des années, j'ai cru important d'avoir une «attitude reconnaissante». Puis j'ai appris qu'une attitude est une ligne de pensée ou une façon de réfléchir, et qu'«avoir une attitude» ne se traduit pas toujours par un comportement.

Par exemple, il serait raisonnable de dire que j'ai une attitude «yoga». Les idéaux et les croyances qui guident ma vie sont en harmonie avec les idéaux et les croyances que j'associe au yoga. Je valorise la pleine conscience, la respiration, le lien étroit corps-esprit-conscience. J'ai même des vêtements de yoga. Mais laissez-moi vous dire que mon attitude et mes vêtements de yoga ne riment à rien si vous m'installez sur un matelas et me demandez de me tenir sur la tête ou de garder une pose. Pendant que j'écris ces mots, je peux dire que je n'ai jamais pratiqué le yoga. Je prévois changer cela entre aujourd'hui et le jour où vous tiendrez ce livre entre vos mains, mais jusqu'à ce jour, je n'ai jamais transposé mon attitude en action. Là où elle importe vraiment (c'est-à-dire sur le matelas de yoga), mon attitude «yoga» ne compte pas pour beaucoup.

Alors à quoi ressemble une pratique de la reconnaissance? Les gens interviewés disaient tenir un journal intime de reconnaissance, faire des méditations quotidiennes de reconnaissance ou des prières, s'adonner à la création artistique sur la reconnaissance, et même s'arrêter en pleine journée stressante et occupée pour dire à voix haute: «Je suis reconnaissant(e) pour...». Quand les personnes qui vivent sans réserve parlent de reconnaissance, toutes sortes de verbes sont employés.

Il semble que la reconnaissance sans pratique soit un peu comme la foi sans les gestes: elle n'est pas vivante.

Qu'est-ce que la joie?

La joie me semble un niveau au-dessus du bonheur.
Le bonheur est une espèce d'atmosphère qui vous
entoure parfois lorsque vous avez de la chance.
La joie est une lumière qui vous remplit
d'espoir, de foi et d'amour.

– Adela Rogers St. Johns

Mes recherches m'ont appris que le bonheur et la joie sont des expériences différentes. Durant les entrevues, plusieurs personnes m'ont dit quelque chose qui ressemblait à: «Être reconnaissant ou joyeux ne veut pas dire que je suis heureux en tout temps.» À de nombreuses reprises, j'ai creusé davantage ces affirmations en posant la question suivante: «À quoi ressemblez-vous lorsque vous êtes joyeux et reconnaissant, mais pas forcément heureux?» Les réponses se sont révélées semblables: le bonheur est lié aux circonstances, tandis que la joie est liée à l'esprit et à la reconnaissance.

J'ai aussi appris que ni la joie ni le bonheur ne sont constants; personne ne se sent toujours heureux ou toujours joyeux. Ces deux expériences vont et viennent. Le bonheur est influencé par des situations et des événements externes qui vont et viennent. La joie semble constamment connectée à nos cœurs par le spirituel et la reconnaissance. Mais nos véritables expériences de la joie (ce sentiment intense d'une connexion spirituelle et d'un plaisir profonds) nous saisissent d'une manière très vulnérable.

Une fois que ces différences ont ressorti de mes données, j'ai fureté ici et là pour explorer ce que d'autres chercheurs ont écrit sur la joie et le bonheur. Chose intéressante, l'explication qui semblait le mieux décrire mes découvertes provenait d'une théologienne.

Anne Robertson, pasteure méthodiste, auteure et directrice exécutive de la Massachusetts Bible Society, dit à quel point les origines grecques des mots *bonheur* et *joie* nous révèlent une importance significative encore aujourd'hui. Robertson explique que le mot grec pour bonheur est *Makarios*, un mot qui servait à décrire la liberté des gens riches qui sont éloignés de toute inquiétude et de tout souci, ou alors à décrire une personne qui acquérait une quelconque bonne fortune, comme l'argent ou la santé. Robertson compare ensuite ce mot au mot grec pour la joie, qui est *chairo*. «Chairo» était décrit par les anciens Grecs comme la «culmination de l'être» et la «bonne humeur de l'âme». Robertson écrit: «Chairo est, nous disent les Grecs, un état que nous trouvons uniquement en Dieu et qui vient avec la vertu et la sagesse. Ce n'est pas la vertu d'un novice; c'est une culmination. Ils disent que le contraire de la joie n'est pas la tristesse, mais la peur[30]».

Nous avons besoin de bonheur autant que de joie. Je pense qu'il est essentiel de créer et de reconnaître les expériences qui nous rendent heureux. En fait, je suis une grande admiratrice du livre de Gretchen Rubin intitulé *The Happiness Project,* ainsi que des recherches et du livre *Happier* de Tal Ben-Shahar. Mais en plus de créer le bonheur dans notre vie, j'ai appris qu'il nous faut cultiver les pratiques spirituelles qui conduisent à la joie, en particulier la reconnaissance. Dans ma propre vie, j'aimerais connaître plus le bonheur, mais j'ai le désir de *vivre* sous l'angle de la reconnaissance et de la joie. Pour ce faire, je pense que nous devons jeter un coup d'œil sérieux aux choses qui obstruent la

---

30. Anne Robertson, «Joy or Happiness?», St. John's United Methodist Church, www.stjohnsdover.org/99adv3.html. Cité avec la permission de Anne Robertson.

route qui mène à la joie et à la reconnaissance, et même, jusqu'à un certain point, au bonheur.

Le manque et la peur du noir

La toute première fois que j'ai tenté d'écrire sur les obstacles à la joie et à la reconnaissance, je me trouvais assise sur le canapé de mon salon avec mon ordinateur portable près de moi et mon journal de recherches dans les mains. J'étais fatiguée et, plutôt que d'écrire, j'ai passé une heure à fixer les lumières scintillantes suspendues au-dessus de l'entrée de ma salle à manger. J'adore ces petites guirlandes d'ampoules étincelantes. Je pense qu'elles embellissent le monde, alors je les garde chez moi tout au long de l'année.

Tandis que j'étais assise là en feuilletant les récits et en contemplant longuement les lumières scintillantes, j'ai pris un crayon et j'ai écrit ce qui suit :

Les guirlandes de lumières scintillantes sont la parfaite métaphore de la joie. La joie n'est pas constante. Elle nous arrive par moments, et souvent dans d'ordinaires moments. Parfois, nous manquons les rafales de joie parce que nous sommes trop occupés à poursuivre les moments extraordinaires. Parfois aussi, nous avons tellement peur du noir que nous n'osons pas nous permettre d'apprécier la lumière.

Une vie joyeuse n'est pas comme un projecteur de joie. Cela deviendrait éventuellement insoutenable.

Je crois qu'une vie joyeuse est faite de moments joyeux reliés ensemble avec grâce par la confiance, l'inspiration, la reconnaissance et la foi.

Pour ceux d'entre vous qui suivent mon blogue, vous reconnaîtrez le mantra de mes billets de reconnaissance du vendredi. Ces billets hebdomadaires, que je nomme CRIF (*Confiance, Reconnaissance, Inspiration, Foi*), contiennent une partie de ma pratique de la reconnaissance et portent sur quatre choses : ce en quoi j'ai *confiance*, ce pour quoi je suis *reconnaissante*, ce qui m'*inspire*, et comment je pratique ma *foi*. Il est incroyablement révélateur de lire les commentaires des autres.

La joie et la reconnaissance peuvent être de très intenses et vulnérables expériences. Nous sommes une société anxieuse, et beaucoup d'entre nous ont très peu de tolérance pour la vulnérabilité. Notre peur et notre anxiété peuvent se manifester comme un manque. Nous pensons pour nous-mêmes :

- *Je ne vais pas me permettre de ressentir cette joie parce que je sais qu'elle ne durera pas.*

- *Reconnaître que j'éprouve de la reconnaissance est une invitation au désastre.*

- *Je préfère ne pas être joyeux plutôt que d'avoir à attendre que le pire arrive.*

La peur du noir

J'ai toujours été sujette au souci et à l'anxiété, mais après être devenue mère, j'ai eu le sentiment qu'avoir à négocier la joie, la reconnaissance et le manque était un véritable travail à temps plein. Pendant des années, la peur que quelque chose de terrible arrive à mes enfants m'a empêchée de m'ouvrir complètement à la joie et à la reconnaissance. À chaque fois que je me risquais à entrer dans la pure joie de l'amour que j'ai pour mes enfants, je m'imaginais aussitôt quelque chose de grave arrivant ; j'imaginais tout perdre en un clin d'œil.

D'abord, j'ai pensé être folle. Étais-je la seule personne au monde à faire cela? Tandis que ma thérapeute et moi y travaillions, je me suis rendu compte que mon sentiment du «trop beau pour être vrai» trouvait entièrement sa source dans la peur, le manque et la vulnérabilité.

Sachant qu'il s'agit d'émotions assez universelles, j'ai rassemblé mon courage pour faire part de mes expériences au sein d'un groupe de 500 parents venus assister à une de mes conférences sur le rôle de parent. Je leur ai donné un exemple de moi, debout en train d'observer ma fille dormir, remplie de reconnaissance, puis être soudain arrachée à celle-ci et à cette joie par des images de choses graves lui arrivant.

Vous auriez pu entendre une aiguille tomber. J'ai pensé: *Oh, Seigneur, je suis folle et ils doivent maintenant tous se dire: «Elle est timbrée. Comment sort-on d'ici?»* Tout à coup, j'ai entendu la voix d'une femme au fond de la salle qui pleurait. Pas un reniflement, mais des sanglots. Puis, quelqu'un assis à l'avant a renchéri en s'écriant: «Oh, mon Dieu! Pourquoi est-ce qu'on fait ça? Ça veut dire quoi?» L'auditoire éclata en une sorte de grand éveil parental chaotique. Comme je l'avais soupçonné, je n'étais pas la seule.

La plupart d'entre nous ont déjà vécu l'expérience d'être au bord de la joie, seulement pour être submergés par le vulnérable et jetés dans la peur. Jusqu'à ce que nous puissions tolérer la vulnérabilité afin de la transformer en reconnaissance, des sentiments intenses d'amour amèneront souvent l'angoisse de la perte. Si je pouvais résumer ce que j'ai appris au sujet de la peur et de la joie, voici ce que je dirais:

La noirceur n'engloutit pas la lumière; elle la définit. C'est notre peur de ce noir qui permet aux ténèbres d'avaler notre joie.

Le manque

Nous vivons des temps craintifs et anxieux qui génèrent l'insécurité et le manque. Nous avons peur de perdre ce que nous aimons le plus, et nous détestons le fait de n'avoir aucune garantie. Nous pensons que nous aurons moins mal en ne ressentant ni la joie ni la reconnaissance. Nous pensons qu'en étouffant la vulnérabilité et en nous imaginant le pire, nous souffrirons moins. Nous avons tort. Il existe bel et bien une garantie: si on ne pratique pas la reconnaissance et qu'on ne se permet pas de s'ouvrir à la joie, on passe à côté des deux choses qui pourront justement nous sustenter dans les inévitables temps difficiles.

Ce que je viens de décrire, c'est le manque de sécurité et l'incertitude. Mais il y a d'autres sortes de manque. Mon amie Lynne Twist a écrit un livre incroyable intitulé *The Soul of Money*. Dans ce livre, Lynne aborde le mythe du manque. Elle écrit:

> *Pour moi et pour plusieurs d'entre nous, la première réflexion qui suit notre réveil est: «Je n'ai pas assez dormi.» La suivante est: «Je n'ai pas assez de temps.» Qu'elle soit vraie ou non, cette pensée du pas assez nous vient automatiquement à l'esprit sans même que nous songions à la remettre en question. Nous passons la plupart des heures et des jours de notre vie à entendre, à expliquer, à déplorer, à nous inquiéter que nous n'avons pas assez de... Nous ne faisons pas assez d'exercice. Nous ne travaillons pas assez. Nous ne faisons pas assez de profits. Nous n'avons pas assez de pouvoir. Nous n'avons pas assez d'étendues sauvages. Nous n'avons pas assez de fins de semaine. Et, bien entendu, nous n'avons jamais assez d'argent.*

> *Nous ne sommes pas assez sveltes, assez habiles, assez beaux ou parfaits ou éduqués ou prospères ou riches. Nous ne sommes jamais assez tout ça. Avant même de se*

lever le matin, avant même de poser les deux pieds sur le sol, on se sent déjà insuffisants, déjà en retard, déjà perdants, déjà en manque de quelque chose. Et au coucher, notre esprit se précipite dans cette même litanie, dans ce que nous n'avons pas eu, ou pas fait, dans la journée. On s'endort avec le fardeau de ces pensées et on se réveille avec, en tête, ces mêmes manques. [...] La sensation de manque qui naît du simple fait d'avoir une vie mouvementée, ou même une vie difficile, devient la grande justification d'avoir une vie insatisfaisante[31].

Quand je lis ce passage, je comprends tout à fait pourquoi nous sommes une société assoiffée de joie : nous mourons de soif à cause d'un manque de reconnaissance. Selon Lynne, travailler sur la sensation de manque ne veut pas dire partir à la recherche de l'abondance, mais plutôt choisir un état d'esprit de contentement :

Nous avons chacun le choix, en toutes circonstances, de prendre du recul et de se libérer de la mentalité du manque. Une fois qu'on lâche prise sur le manque, on découvre la surprenante vérité du contentement. Par contentement, je ne fais référence à aucune quantité de quoi que ce soit. Le contentement n'est pas plus haut que la pauvreté ou plus bas que l'abondance. Ce n'est pas une mesure du à peine assez *ou du* plus qu'assez*. Le contentement n'est pas du tout un montant. C'est une expérience, un contexte que nous produisons, une déclaration, savoir qu'il y a assez et que nous sommes à la hauteur.*

---

31. Lynne Twist, *The Soul of Money: Transforming Your Relationship with Money and Life* (New York : W.W. Norton and Company, 2003), 44.

Le contentement réside en chacun de nous, et il nous appartient d'en appeler à lui.

C'est un état de conscience, une attention particulière, un choix délibéré de la façon de voir les circonstances de notre vie[32].

Le manque est aussi un accélérant pour les diablotins. Dans mes recherches précédentes sur la honte et dans ces recherches plus récentes, j'ai constaté à quel point nombre d'entre nous ont gobé cette idée que quelque chose doit être extraordinaire pour nous apporter la joie. Dans *I Thought It Was Just Me*, j'ai écrit : «On dirait qu'on mesure la valeur de la contribution des gens (et parfois leur vie entière) selon la reconnaissance publique qu'ils suscitent. En d'autres mots, la valeur semble déterminée par la fortune et la renommée. Notre culture est prompte à écarter les hommes et les femmes "ordinaires", silencieux mais travaillant sans relâche. Dans bien des cas, nous faisons équivaloir *ordinaire* avec *ennuyeux* ou, plus dangereux encore, *ordinaire* avec *insignifiant*[33].»

Je pense que c'est en interviewant des hommes et des femmes qui ont vécu des pertes énormes comme celle d'un enfant, ou qui ont vécu la violence, un génocide ou un traumatisme, que j'ai appris le plus sur la valeur de l'ordinaire. Les souvenirs auxquels ils tenaient le plus étaient les moments ordinaires de la vie quotidienne. Il me paraissait clair et net que leurs souvenirs les plus précieux étaient un ensemble de moments ordinaires, et ce qu'ils nous recommanderaient sans hésiter, c'est de prendre une pause assez longue pour être reconnaissants de la joie générée

---

32. Ibid.
33. Brené Brown, *I Thought It Was Just Me (but it isn't): Telling the Truth About Perfectionism, Inadequacy, and Power,* (New York : Penguin/ Gotham Books, 2007), 204-205.

par ces moments ordinaires. L'auteure et guide spirituelle Marianne Williamson dit: «La joie est ce qui nous arrive quand nous nous permettons de reconnaître à quel point les choses vont vraiment bien.»

DÉPASSEZ-VOUS

Faites preuve de résolution: Quand je suis inondée par la peur et le manque, j'essaie d'appeler le contentement et la joie en reconnaissant cette peur afin de la transformer en reconnaissance. Je dis à voix haute: «Je me sens vulnérable. Ce n'est pas grave. Je suis si reconnaissante pour _____ .» Avoir été capable de dire ces mots augmente du tout au tout mon aptitude à ressentir la joie.

Inspirez-vous: Je suis tellement inspirée par les doses quotidiennes de joie qui arrivent dans les moments ordinaires, comme aller chercher mes enfants à l'école à pied pour revenir avec eux en marchant, sauter sur le trampoline, partager les repas de famille. Reconnaître que ces moments font que *C'est vraiment ça, la vie* a changé ma façon de concevoir le travail, la famille et le succès.

Agissez: Depuis les mots de reconnaissance de chacun durant les grâces jusqu'à des projets plus créatifs comme la création d'un pot où insérer des notes de gratitude, nous faisons de la vie sans réserve une affaire de famille.

Et vous, comment vous dépassez-vous?

♥

Cultiver l'intuition et s'en remettre à la foi

LÂCHER PRISE SUR LE BESOIN DE CERTITUDE

Tout, dans mes recherches, m'a poussée d'une manière que je n'aurais jamais imaginée, particulièrement en ce qui a trait à des sujets comme la foi, l'intuition et la spiritualité. Quand l'importance de l'intuition et de la foi s'est révélée un motif-clé de la vie authentique et sans réserve, j'avoue avoir grimacé un peu. Encore une fois, je sentais que mes bons amis Logique et Raison se sentaient attaqués. Je me rappelle avoir dit à Steve : « Maintenant, c'est l'intuition et la foi! Peux-tu y croire? »

Il a répondu : « Je suis surpris que tu sois surprise. Tu travailles avec ta foi et tes tripes tout le temps. »

Son commentaire m'a déconcertée.

Je me suis assise près de lui et j'ai dit : « Ouais, je sais que je suis une fille un peu foi et tripes, mais je ne pense pas être très intuitive. Lis cette définition du dictionnaire : "L'intuition est la perception directe de la vérité ou d'un fait, indépendamment de tout processus raisonné[34]." »

Steve a ri : « Alors peut-être que cette définition ne s'accorde pas avec ce que tu apprends de tes données. Tu en écriras une nouvelle. Ce ne serait pas la première fois. »

---

34. « Intuition », www.Dictionary.com (visité le 17 février 2010).

J'ai passé une année à concentrer mes efforts sur l'intuition et la foi. J'ai interviewé des gens et colligé leurs histoires afin de pouvoir mettre le doigt sur ce que signifie cultiver l'intuition et s'en remettre à la foi. Je fus étonnée de mes découvertes.

L'intuition

L'intuition n'est pas indépendante de tout processus raisonné. En fait, les psychologues pensent qu'il s'agit d'un processus d'association inconscient qui se fait en rafales, un peu à la manière d'un casse-tête mental[35]. Le cerveau observe, scanne ses fichiers, puis associe ses résultats avec ce qu'il a de souvenirs, de savoir et d'expériences. Dès qu'il rassemble une série de correspondances, nous sentons «viscéralement» ce qu'il a observé.

Tantôt notre intuition ou nos tripes nous disent ce que nous avons besoin de savoir; tantôt elles nous dirigent ni plus ni moins vers le raisonnement et l'enquête objective. Même si l'intuition est la petite voix à l'intérieur de nous, elle ne se limite pas à un seul message. Parfois notre intuition nous dit: «Suis ton instinct», et parfois elle s'exclame: «Tu dois vérifier ça; il nous manque de l'information!»

Mes recherches m'ont permis de découvrir que ce qui musèle notre voix intuitive est notre besoin de certitude. La majorité d'entre nous n'aiment pas ne pas savoir. Nous préférons les choses sûres et les garanties, à un point tel que nous ne portons pas attention aux résultats des associations de notre cerveau.

---

35. David G. Myers, *Intuition: Its Powers and Perils* (New Haven, CT: Yale University Press, 2002); Gerd Gigerenzer, *Gut Feelings: The Intelligence of the Unconscious* (London: Penguin Books, 2008).

Par exemple, au lieu de respecter un instinct puissant, nous avons peur et nous cherchons l'assurance chez les autres.

- « Qu'en penses-tu ? »
- « Devrais-je le faire ? »
- « Penses-tu que c'est une bonne idée ou que je vais le regretter ? »
- « Tu ferais quoi à ma place ? »

Une des réponses typiques à ce genre de questions est : « Je ne suis pas certain de ce que tu devrais faire. Que te dit ton cœur (ou tes tripes) ? »

Et voilà. *Que vous dit votre cœur ?*

Nous secouons la tête et répondons : « Je ne sais pas », alors que la véritable réponse est : « Je n'ai aucune idée de ce que me dit mon cœur, cela fait un bail que nous ne nous sommes pas parlé. »

Lorsque nous nous mettons à sonder les gens, c'est souvent parce que nous n'avons pas confiance en notre propre savoir. Ce savoir semble trop précaire et si incertain. Nous désirons des garanties et des personnes avec qui partager le blâme si les choses tournent mal. Je sais tout cela. Je suis une sondeuse professionnelle : parfois il ne m'est pas facile de me faire confiance. Quand je dois prendre une décision difficile et que je me sens déconnectée de mon intuition, j'ai tendance à sonder tout le monde autour de moi. Ironiquement, depuis que je mène ces recherches, l'idée de sonder les autres est devenue un signal d'alarme chez moi : elle m'annonce que je suis vulnérable devant la prise d'une décision.

Comme je l'ai mentionné plus haut, si nous apprenons à faire confiance à notre intuition, celle-ci peut même nous dire que nous n'avons pas un bon pressentiment sur une chose et qu'il nous faut davantage d'information. Un autre exemple du sabotage de l'intuition par notre besoin de certitude, c'est quand on n'écoute pas notre intuition nous prévenir qu'on devrait ralentir, cueillir plus d'information ou vérifier si nos attentes sont réalistes :

- « Je vais juste le faire. Je me fiche du reste. »

- « Je suis fatiguée de songer à tout ça. C'est trop stressant. »

- « Je préfère simplement le faire plutôt que d'attendre une seconde de plus. »

- « Je ne supporte pas de ne pas savoir. »

Lorsque nous fonçons tête première dans de grosses décisions, c'est peut-être parce nous ne voulons pas connaître les réponses qui émergeraient d'un raisonnement. Nous savons qu'établir des faits peut nous éloigner de ce que nous pensons vouloir.

Je me dis toujours : « Si je crains de faire parler les chiffres ou d'écrire noir sur blanc, je ne devrais pas prendre cette décision. » Quand on est rendu au point de vouloir se débarrasser d'une prise de décision, ce serait une bonne idée de se demander si notre empressement n'est pas simplement dû au fait qu'on ne peut supporter la vulnérabilité où on se retrouve immobiles suffisamment longtemps pour y réfléchir et prendre une décision avisée.

Comme vous pouvez le voir, l'intuition ne consiste pas toujours à obtenir des réponses de son for intérieur. Parfois, quand nous scrutons notre sagesse intérieure, notre intuition nous dit que nous n'en savons pas assez pour prendre une décision, qu'il faut investiguer davantage. Voici la définition que j'ai construite à la lumière de mes recherches :

L'intuition n'est pas une manière unique de savoir : c'est notre capacité à tolérer l'incertitude et notre volonté d'avoir confiance aux nombreux moyens grâce auxquels nous avons développé nos connaissances et notre perspicacité, incluant l'instinct, l'expérience, la foi et la raison.

La foi

Je me suis rendu compte que la foi et la raison ne sont pas des ennemis naturels. C'est notre besoin humain de certitude et notre besoin « d'avoir raison » qui a opposé la foi à la raison d'une façon assez imprudente. Nous nous forçons à choisir et à favoriser une manière unique de concevoir le monde aux dépens de l'autre.

Je comprends que la foi et la raison puissent s'entrechoquer et créer d'inconfortables tensions : ces tensions habitent ma vie et je peux les sentir jusqu'au fond de moi-même. Mais ce travail m'a forcée à voir que c'est notre peur de l'inconnu et celle d'avoir tort qui créent la majeure partie de nos conflits et de notre anxiété. Nous avons besoin de foi autant que de raison pour faire sens dans un monde incertain.

Je ne peux pas vous préciser combien de fois j'ai entendu les expressions *avoir la foi* et *ma foi* dans les entrevues que j'ai faites avec les hommes et les femmes qui vivaient une vie sans réserve. J'ai d'abord cru que la foi signifiait qu'il y a « une raison à toute chose ». J'avais du mal avec cette notion parce que je ne suis pas à l'aise avec le fait d'utiliser Dieu ou la foi ou la spiritualité pour expliquer une tragédie. Quand les gens disent qu'il y a une raison à toute chose, il me semble en fait que c'est substituer la certitude à la foi.

Cela dit, les entrevues que j'ai menées m'ont prestement appris que la foi signifie quelque chose d'autre pour ces personnes. Voici comment je définis la *foi* selon mes discussions avec les personnes que j'ai interviewées :

> *La foi est un espace de mystère où nous trouvons le courage de croire en quelque chose que nous ne pouvons pas voir, et la force de lâcher prise sur notre peur de l'incertain.*

J'ai aussi appris que ce ne sont pas toujours les scientifiques qui luttent avec la foi et pas toujours les religieux qui s'engagent pleinement dans l'incertain. Plusieurs formes de fondamentalisme et d'extrémisme choisissent la certitude au lieu de la foi.

J'adore ces mots du théologien Richard Rohr : « Mes amis scientifiques parlent de "principes d'incertitude" et de trous noirs. Ils sont prêts à vivre avec des hypothèses et des théories que l'imagination a fait naître. Mais beaucoup de personnes religieuses insistent sur des *réponses* qui sont *toujours* vraies. On aime l'aboutissement, la résolution et la clarté, tout en pensant par là que nous sommes des gens de "foi" ! Comme il est étrange que le mot "foi" en soit arrivé à signifier son exact opposé[36]. »

La foi est essentielle quand on choisit de vivre et d'aimer sans réserve dans un monde où la plupart d'entre nous veulent des garanties avant de se risquer d'être vulnérables et blessés. Dire *je m'engage sans réserve dans ma vie* appelle à croire sans voir.

---

36. Richard Rohr, « Utterly Humbled by Mystery », publié le 18 décembre 2006, épisode « This I Believe » de la National Public Radio, www.npr. org/templates/story/story.php?storyId=6631954 (visité le 15 février 2010).

DÉPASSEZ-VOUS

Faites preuve de résolution: Lâcher prise sur la certitude est un de mes plus grands défis. J'ai même une réaction physique à l'idée de « ne pas savoir »: l'anxiété et la peur combinées avec la vulnérabilité. C'est dans ces moments que je dois me faire très silencieuse et tranquille. Avec mes enfants et ma vie occupée, cela peut vouloir dire me cacher dans le garage ou faire une balade en voiture autour du pâté de maisons. Quoi que cela demande, je dois trouver un moyen d'être calme afin d'entendre ce que je dis.

Inspirez-vous: Récupérer le spirituel et la foi dans ma vie ne fut pas une tâche facile (d'où ~~la dépression~~ l'Éveil Spirituel de 2007). Il y a une phrase qui a littéralement ouvert mon cœur. Elle vient d'un livre écrit par Anne Lamott: « Ce qui se trouve à l'opposé de la foi n'est pas le doute, mais la certitude[37]. » Ses livres sur la foi et la grâce m'inspirent[38]. Je m'inspire et suis reconnaissante de *When the Heart Waits* par Sue Monk Kidd[39], et de *Comfortable with Uncertainty*[40] de Pema Chödrön; ils m'ont sauvée. Enfin, j'adore cette citation de *L'Alchimiste* de Paulo Coelho: « [...] l'intuition est vraiment une immersion soudaine de l'âme dans le courant universel de la vie, où les histoires de tous les gens sont connectées, et où nous sommes en mesure de tout savoir parce que tout est écrit là[41]. »

---

37. Anne Lamott, *Plan B: Further Thoughts on Faith*, éd. livre de poche (New York: Penguin Group, Riverhead Books, 2006), 256-57.
38. Anne Lamott, *Bird by Bird: Some Instructions on Writing and Life* (New York: Random House, Anchor Books, 1995); Anne Lamott, *Grace (Eventually): Thoughts on Faith*, éd. livre de poche (New York: Penguin Group, Riverhead Books, 2008).
39. Sue Monk Kidd, *When the Heart Waits: Spiritual Direction for Life's Sacred Questions* (New York: HarperCollins, HarperOne, 2006).
40. Pema Chödrön, *Comfortable with Uncertainty: 108 Teachings on Cultivating Fearlessness and Compassion*, éd. grand public (Boston, MA: Shambhala Publications, 2008).

Agissez : Lorsque j'ai vraiment peur ou quand je me sens vraiment insécure, j'ai aussitôt besoin de quelque chose qui puisse calmer ma soif de certitude. Pour moi, la Prière de la Sérénité fait le travail. *Seigneur Dieu, donnez-moi la sérénité d'accepter les choses que je ne puis changer, le courage de changer les choses que je peux, et la sagesse d'en connaître la différence. Amen!*

Et vous, comment vous dépassez-vous?

♥

41. Paulo Coelho, *The Alchimist* (New York : HarperCollins, 2006).

Cultiver la créativité

LÂCHER PRISE SUR
LES COMPARAISONS

Quelques-uns de mes meilleurs souvenirs d'enfance impliquent la créativité, et la plupart viennent de l'époque où nous vivions à la Nouvelle-Orléans, dans un duplex rose et *funky* en stuc à quelques pâtés de maison de l'Université Tulane. Je me rappelle avoir passé des heures avec ma mère à peindre des porte-clés en bois en forme de tortue ou d'escargot, ainsi qu'à bricoler avec des paillettes et du feutre avec mes amies.

Je revois clairement ma mère et ses amies, avec leurs pantalons «pattes d'éléphant», revenir de leur magasinage dans le Quartier français pour faire des mirlitons fourrés et autres plats délicieux. J'étais si fascinée par l'aide que je lui offrais dans la cuisine qu'un dimanche après-midi, elle et mon père me laissèrent cuisiner seule. Ils m'ont dit que je pouvais faire tout ce que je voulais avec les ingrédients que je désirais. J'ai fait des biscuits à l'avoine et aux raisins. Avec des épices à écrevisses plutôt que de la cannelle. Toute la maison a pué durant des jours.

Ma mère adorait coudre aussi. Elle a cousu des vêtements assortis qu'elle et moi pouvions porter (ainsi que ma poupée qui avait sa propre petite robe dans le même tissu). Il me paraît drôlement étrange que ces souvenirs de création me soient si réels et si palpables: je peux presque les toucher comme les sentir. Ils renferment aussi tant de tendresse.

Mes souvenirs de créativité s'effacent malheureusement autour de huit ou neuf ans. En fait, je ne me souviens plus d'une seule activité créative après environ ma cinquième année d'école. Cela coïncide avec l'époque où nous avons quitté notre modeste maison dans le Garden District pour une grande baraque dans la banlieue tentaculaire de Houston. Tout a semblé changer. À la Nouvelle-Orléans, chaque mur de notre maison était couvert d'une décoration faite par ma mère, par un proche ou par nous les enfants, et chaque fenêtre était habillée des rideaux faits maison. Ces rideaux et cet art domestique avaient été confectionnés par nécessité, mais je me les rappelle magnifiques.

À Houston, je me souviens d'être entrée dans la maison de quelques-uns de mes nouveaux voisins avec l'impression que leurs salons ressemblaient au hall d'entrée d'un hôtel raffiné cinq étoiles : je me souviens d'avoir pensé *comme un Howard Johnson ou un Holiday Inn*. Il s'y trouvait de longues et lourdes tentures, de gros canapés avec les fauteuils assortis, ainsi que des tables de verre étincelant. Il y avait des plantes artificielles dont les vignes grimpantes étaient placées stratégiquement sur le haut des armoires, et des paniers de fleurs séchées décoraient le dessus des tables. Curieusement, les halls d'entrée de tout le monde se ressemblaient.

Les maisons étaient luxueuses et toutes semblables, mais en ce qui avait trait à l'école, c'était une tout autre histoire. À la Nouvelle-Orléans, j'avais fréquenté une école catholique où tout le monde ressemblait à tout le monde, où tous priaient de la même façon et où la plupart agissaient de la même manière. À Houston je suis entrée à l'école publique, ce qui signifiait au revoir les uniformes. À cette nouvelle école, les beaux vêtements comptaient. Et pas de jolis vêtements faits maison, mais ceux du « magasin ».

À la Nouvelle-Orléans, mon père travaillait le jour et allait étudier le droit à Loyola le soir. Là-bas, nos vies avaient toujours quelque chose d'amusant et de décontracté. Une fois que nous sommes arrivés à Houston, il s'est habillé chaque matin pour faire la navette vers une compagnie d'huile et de pétrole, avec tous les autres pères du voisinage. Les choses avaient changé; à plusieurs égards, ce déménagement fut une transformation fondamentale pour notre famille. Mes parents étaient lancés sur la voie accomplissements-et-acquisitions, et la créativité céda la place à cette combinaison étouffante de s'intégrer et d'être *meilleur que*, connue aussi sous le nom de comparaison.

La comparaison est une affaire qui ne s'éloigne jamais de la conformité et de la compétivité. On pourrait d'abord penser que se conformer et compétitionner s'excluent l'un et l'autre, mais ce n'est pas le cas. Lorsqu'on compare, on veut voir à tout prix qui ou quoi est le meilleur parmi un certain choix de « choses similaires ». On peut bien comparer nos compétences parentales avec celles de parents dont les valeurs et les traditions sont différentes des nôtres, mais les comparaisons qui remuent le plus sont celles qu'on fait avec nos voisins, avec l'équipe de soccer de notre enfant ou avec notre école. On ne compare guère notre maison avec les manoirs de l'autre côté de la ville; on compare notre cour aux autres cours du pâté de maisons. Quand on compare, on veut être le meilleur ou avoir le meilleur du groupe auquel on appartient.

Le mandat de la comparaison devient ce paradoxe frappant du « fondez-vous dans la masse et démarquez-vous! ». Il ne s'agit pas de cultiver l'acceptation de soi, le sentiment d'appartenance et l'authenticité; il s'agit d'être comme tout le monde, mais en mieux encore.

De toute évidence, il est difficile de laisser de la place aux choses importantes comme la création, la gratitude, la joie et l'authenticité lorsqu'on consacre un nombre incalculable d'heures et de jours à se conformer et à compétitionner. Je comprends maintenant pourquoi ma chère amie Laura Williams dit toujours: «La comparaison est la kleptomane du bonheur.» Si vous saviez combien de fois je me suis sentie bien avec moi-même, avec ma vie et avec mes amis, pour voir ce sentiment s'effacer en l'espace d'une seconde parce que je me mettais, consciemment ou inconsciemment, à me comparer aux autres gens.

En ce qui me concerne, plus j'avançais en âge, moins je valorisais la création et moins je passais de temps à créer. Quand les gens me posaient des questions sur l'artisanat, l'art ou la créativité, je répondais: «Je ne suis pas du type créatif.» En mon for intérieur je me disais: *Qui a le temps de peindre et de faire du scrapbooking et de la photographie quand le vrai travail de produire attend d'être accompli et achevé?*

À 40 ans, quand je me suis mise à travailler sur mes recherches, mon manque d'intérêt pour la créativité s'était transformé en véritable dédain. Je ne sais pas si je catégoriserais mes sentiments sur la créativité comme des stéréotypes négatifs, des pièges à honte ou une combinaison de ces deux choses, mais j'en étais arrivée à un point où je trouvais la créativité au mieux complaisante ou, au pire, excentrique.

Bien sûr, je sais par expérience professionnelle que plus on est réactif et borné à l'égard d'une problématique, plus on doit investiguer nos réponses. Maintenant que je jette un regard neuf sur mon attitude, je pense qu'il m'aurait été trop douloureux ou déroutant, à l'époque, de constater à quel point la créativité de ma jeunesse me manquait.

Avant mes recherches, jamais je n'aurais pensé croiser quelque chose d'assez féroce pour secouer mes croyances bornées sur la créativité.

Laissez-moi résumer ce que j'ai appris au sujet de la créativité auprès des gens qui essaient de vivre et d'aimer sans réserve :

1. La pensée *Je ne suis pas très créatif* ne marche pas. Il n'existe rien de tel que des gens créatifs et des gens non créatifs. Il n'y a que des gens qui utilisent leur créativité et des gens qui ne l'utilisent pas. Et une créativité non utilisée ne disparaît pas comme ça. Elle vit à l'intérieur de nous jusqu'à ce qu'elle soit exprimée, négligée jusqu'à la mort, ou suffoquée par le ressentiment et la peur.

2. Notre seule et unique contribution dans ce monde naîtra de notre créativité.

3. Si nous voulons donner un sens, alors il nous faut l'art. Écrivez, cuisinez, dessinez, gribouillez, peignez, faites du scrapbooking, prenez des photos, tricotez, remontez un moteur, sculptez, dansez, décorez, jouez, chantez, cela importe peu. Tant qu'on crée, on cultive un sens.

Exactement un mois après avoir colligé mes statistiques sur la créativité, je me suis inscrite à un cours de peinture sur gourdes. Je ne blague même pas. J'y suis allée avec ma mère et Ellen, et ce fut l'un des plus beaux jours de ma vie.

Pour la première fois depuis des lustres, je me suis mise à créer. Je n'ai pas arrêté depuis. J'ai même commencé la photographie. Je sais que ça sonne cliché, mais le monde ne me semble plus tout à fait le même. J'aperçois le potentiel et la beauté partout, devant chez moi, dans un bazar, dans un vieux magazine. Partout.

Ce fut une transition très émotive pour moi et ma famille. Mes deux enfants adorent l'art, nous organisons des projets de famille ensemble tout le temps. Steve et moi sommes des accros du Mac et adorons faire des films ensemble. Le mois dernier,

Ellen nous a dit qu'elle voulait devenir chef de restaurant ou *life artist* comme mon amie Ali Ewards, qui nous inspire toutes les deux. Jusque-là, Charlie adore peindre et aimerait tenir un magasin de t-shirts et de casquettes (ce qui est aussi créatif qu'audacieux).

Je me suis aussi rendu compte qu'une large part de mon travail est créatif. L'écrivain William Plomer a décrit la créativité comme «le pouvoir de connecter ce qui semble déconnecté». Mon travail est de provoquer ces connexions, et donc une moitié de ma transformation a consisté à me réapproprier ma créativité existante et à la célébrer.

Lâcher prise sur les comparaisons ne se traduit pas en une liste de choses à faire. Pour la plupart d'entre nous, ce lâcher-prise demande une attention constante. C'est si facile d'être distrait de la route pour espionner ce que font les autres et voir s'ils sont devant ou derrière nous. La créativité est l'expression de notre originalité. Elle nous aide à rester pleinement conscients que notre apport au monde est unique et incomparable. Et, sans comparaison, des notions comme *devant* ou *derrière* ou *meilleur* ou *pire* perdent tout leur sens.

DÉPASSEZ-VOUS

Faites preuve de résolution: Si on considère la créativité comme un luxe ou lorsqu'on a des temps libres, jamais elle ne sera cultivée. Je me garde du temps chaque semaine pour prendre des photos, faire des films et me joindre aux enfants dans des projets d'art. Quand je fais de la créativité une priorité, tout dans ma vie fonctionne mieux.

Inspirez-vous: Rien ne m'inspire davantage que mon amitié avec les *Lovebombers*, un groupe d'artistes, d'écrivains et de photographes que j'ai rencontrés en ligne et avec qui je passe une longue fin de semaine chaque année. Je pense qu'il est très important de trouver un groupe dont les membres partagent vos croyances sur la créativité et d'en faire partie.

Agissez : Suivez un cours. Prenez le risque de vous sentir vulnérable, nouveau et imparfait, et inscrivez-vous à un cours. Il s'en trouve de merveilleux en ligne si vous avez besoin de plus de flexibilité. Essayez quelque chose qui vous fait peur ou quelque chose dont vous rêvez. Qui sait où vous puiserez votre inspiration créative.

Et vous, comment vous dépassez-vous ?

Cultiver le jeu et le repos

LÂCHER PRISE SUR L'ÉPUISEMENT COMME SYMBOLE DE RÉUSSITE ET SUR LA PRODUCTIVITÉ COMME VALEUR DE SOI

Durant les entrevues que j'ai menées pour mes recherches, il m'est arrivé de me sentir comme une extraterrestre : comme une visiteuse essayant de démêler les us et coutumes de personnes vivant une existence incroyablement différente de la mienne. Les moments compliqués ne manquaient pas où j'avais du mal à comprendre ce que, *eux, les gens qui vivent sans réserve,* faisaient et pourquoi. Parfois, les concepts m'étaient si étrangers que je n'avais pas le vocabulaire requis pour les nommer. Voici une anecdote qui raconte l'une de ces fois.

Je me rappelle avoir dit à une de mes collègues : « Ces gens qui vivent sans réserve perdent beaucoup leur temps. » Elle a ri et m'a demandé : « Perdent leur temps ? Comment ? »

J'ai haussé les épaules : « Je ne sais pas. Ils s'amusent et… je ne sais pas comment on appelle ça. Ils sortent et font des choses amusantes. »

Elle a semblé confuse. « Quel genre de choses amusantes ? des passe-temps ? de l'artisanat ? du sport ? »

« Oui, ai-je répondu, un peu comme ça, mais pas trop organisé. Je vais devoir creuser quelques autres pistes. »

Maintenant je repense à cette conversation et je me dis: *Comment n'ai-je pas pu comprendre ce que je voyais?* Étais-je si décalée de ce concept que je ne pouvais pas le reconnaître?

Ce concept, c'est le *jeu*! Une des composantes fondamentales de la vie sans réserve est le jeu!

J'en suis arrivée à cette conclusion en regardant mes enfants et en y reconnaissant les mêmes comportements ludiques décrits par les hommes et les femmes passés en entrevue. Ces gens-là jouent.

Mes recherches sur le concept du jeu ont connu tout un début. J'ai appris quelque chose assez rapidement: ne *pas* «googler» les mots clés «Jeu adulte». Je me suis retrouvée à fermer des fenêtres intruses pornographiques si rapidement que j'avais l'impression de jouer au *jeu de la taupe*.

Après m'être remise de cette recherche désastreuse, j'ai été assez chanceuse pour tomber sur le travail de Stuart Brown. Brown est psychiatre, chercheur clinique et fondateur du National Institute for Play. Il est également l'auteur d'un merveilleux livre intitulé *Play: How It Shapes the Brain, Opens the Imagination, and Invigorates the Soul*[42].

À partir de ses propres recherches, ainsi que des plus récentes avancées en biologie, en psychologie et en neurologie, Brown explique comment le jeu façonne notre cerveau, aide à entretenir l'empathie et à naviguer parmi des groupes sociaux complexes, et il se trouve au cœur de la créativité et de l'innovation.

Vous voulez savoir pourquoi le jeu et le repos viennent ensemble dans la balise numéro 7? Parce qu'après avoir lu les

---

42. Stuart Brown avec Christopher Vaughan, *Play: How It Shapes the Brain, Opens the Imagination, and Invigorates the Soul* (New York: Penguin Group, 2009).

recherches sur le jeu, j'ai compris à quel point le jeu est tout aussi utile et tout aussi important pour notre santé et notre fonctionnement que le repos.

Alors, si vous êtes comme moi, vous vous demandez ce qu'est le jeu exactement. Brown suggère sept caractéristiques du jeu. La première caractéristique dit que le jeu est sans but, en apparence. En d'autres mots, nous jouons pour le plaisir de jouer. Nous jouons parce que c'est amusant et que nous en avons envie.

Eh bien, c'est là que mon travail de recherche sur la honte fait son entrée. Dans la société d'aujourd'hui (où notre valeur personnelle se mesure trop souvent à la valeur de notre compte en banque et à notre productivité), passer du temps à faire des activités sans buts est rare. En fait, pour beaucoup d'entre nous, c'est une recette pour une crise d'angoisse.

Nous avons beaucoup à faire et si peu de temps que l'idée de consacrer des heures à quelque chose qui ne soit pas sur la liste *À faire* nous crée, en fait, du stress. Nous nous convainquons que le jeu est un gaspillage d'un temps précieux. Nous allons même jusqu'à nous convaincre que le sommeil est un usage très mauvais de notre temps.

On trouve toujours une tâche pour nous *empêcher de jouer.* Que cette tâche consiste à gérer une compagnie multimillionnaire, à élever une famille, à créer ou à étudier, nous devons travailler sans relâche! Pas de temps pour jouer!

Or, Brown affirme que le jeu n'est pas une option. Selon lui, «ce qui se trouve à l'opposé du jeu n'est pas le travail: c'est la dépression». Il explique: «Respecter notre besoin d'activités ludiques, biologiquement programmé, peut redéfinir le travail. Cela peut ramener un sentiment de motivation et de nouveauté à notre emploi. Le jeu nous aide à traverser les épreuves, nous épanouit, valorise la maîtrise de notre savoir-faire et se révèle un aspect essentiel de notre sens créatif. Et, plus important encore, le vrai jeu, celui qui provient de nos propres besoins et désirs intérieurs, est l'unique voie vers la satisfaction et la joie durables dans notre travail. À long terme, travailler ne fonctionne pas sans le jeu[43].»

Ce qui est stupéfiant est la similitude entre le besoin biologique de jouer et le besoin du corps de se reposer, un sujet qui s'est aussi avéré une caractéristique majeure du mode de vie authentique. Il semble que vivre et aimer sans réserve incitent à respecter le besoin du corps de se régénérer. Lorsque je me suis mise à investiguer les notions de repos, de sommeil, de *dette de sommeil* (en manquer), je n'arrivais pas à croire les conséquences d'un repos insuffisant.

Selon les Centers for Disease Control, un sommeil insuffisant est associé à plusieurs maladies chroniques telles que le diabète, les maladies cardiovasculaires, l'obésité ainsi que la dépression[44]. Les données indiquent aussi que conduire une voiture en état de somnolence peut être aussi dangereux (et évitable) que conduire en état d'ébriété. Pourtant, beaucoup d'entre nous croient, pour une raison ou une autre, que l'épuisement est le symbole de dur labeur et que le sommeil est un luxe. Le résultat est que nous sommes très fatigués. Dangereusement fatigués.

Les mêmes diablotins qui nous répètent que nous sommes trop occupés pour gaspiller du temps à jouer sont ceux qui nous murmurent :

---

43. Ibid.
44. «Sleep and Sleep Disorders: A Public Health Challenge», www. cdc.gov/sleep/; L.R. McKnight-Eily et al., «Perceived Insufficient Rest or Sleep - Four States, 2006», *MMWR (Morbidity and Mortality Weekly Report)* 57, no 8 (29 février 2008): 200-203, www.cdc.gov/ mmwr/preview/mmwrhtml/mm5708a2.htm (visité le 2 janvier 2010), données analysées par le Behavioral Risk Factor Surveillance System (BRFSS) du CDC.

- « Une heure de plus de travail ! Tu rattraperas ton sommeil en fin de semaine. »

- « Les siestes, c'est bon pour les fainéants. »

- « Allume ton pilote automatique. Tu vas t'en sortir. »

Mais la vérité, c'est que nous ne nous en sortons pas. Nous sommes une société d'adultes anxieux et épuisés qui éduquent des enfants à l'horaire surchargé. Nous utilisons notre temps libre à la recherche désespérée de joie et de sens dans notre vie. Nous pensons que la réussite et les avoirs nous apporteront joie et sens, mais cette poursuite est peut-être exactement ce qui nous maintient si fatigués et si terrifiés de ralentir.

Si nous désirons vivre une vie authentique, nous devons choisir délibérément de cultiver le sommeil et le jeu, et de lâcher prise sur cette idée que l'épuisement est symbole de réussite et que la productivité est la mesure de notre valeur personnelle.

Faire le choix du repos et du jeu est, au mieux, une contre-culture. Le choix de lâcher prise sur l'épuisement et la productivité comme des écussons d'honneur était très sensé pour Steve et moi, mais mettre en pratique un mode de vie sans réserve a été difficile pour toute notre famille.

En 2008, Steve et moi nous sommes assis pour dresser une liste des choses qui font fonctionner notre famille. En fait, nous avons répondu à la question : « Quand les choses vont vraiment bien dans notre famille, à quoi ça ressemble ? » Les réponses incluaient le sommeil, l'exercice, la nourriture saine, la cuisine, les temps libres, les fins de semaine à l'extérieur, les visites à l'église, être présents avec les enfants, un sentiment de contrôle sur notre argent, un travail significatif qui ne nous consume pas, du temps pour faire pipi, du temps passé avec la parenté et les amis proches, et le temps de juste flâner. C'étaient (et ce sont) nos « ingrédients pour de la joie et du sens ».

Puis, nous avons jeté un coup d'œil à cette liste de rêve que nous avions commencé à faire quelques années plus tôt (et que nous avions continuée avec le temps). Tout ce qui se trouvait sur cette liste était un accomplissement ou une acquisition : une maison avec plus de chambres, un voyage ici ou là, des objectifs de salaire, des efforts professionnels, et ainsi de suite. Tout sur cette liste nous invitait à faire plus d'argent et à dépenser plus d'argent.

Lorsque nous avons comparé notre liste de rêve à notre liste « joie et sens », nous nous sommes rendu compte qu'en laissant tomber la liste des choses que nous voulions accomplir et acquérir, nous pourrions vraiment vivre notre rêve : ne pas chercher à le produire dans le futur mais à le vivre ici et maintenant. Ces choses que nous cherchions à accomplir et à acquérir ne contribuaient en rien à rendre nos vies plus entières.

L'adoption de notre liste « joie et sens » n'a pas été facile. Il y a des jours où elle me paraît parfaitement sensée, et d'autres jours où je me perds à croire que tout serait mieux si nous avions une belle et grande pièce pour les invités ou une meilleure cuisine, ou si je pouvais prononcer une conférence à tel endroit ou alors écrire un article pour tel magazine populaire.

Même notre fille Ellen a dû faire quelques changements. L'an dernier, nous lui avons dit que nous allions limiter ses activités parascolaires et qu'elle devrait faire des choix entre plusieurs sports, les Girls Scouts et autres activités après l'école. Au début elle s'y est un peu opposée. Elle a fait remarquer qu'elle participait à moins de choses que la plupart de ses amies. C'était vrai. Elle a plusieurs amies qui pratiquent deux ou trois sports chaque semestre, qui suivent des cours de musique et des cours de langue et des cours d'art. Ces enfants se réveillent à six heures le matin et vont au lit à dix heures le soir.

Nous lui avons expliqué que cette «coupure» faisait partie d'un plan familial plus large. J'avais décidé d'aller à l'université à temps partiel, et son papa faisait des semaines de travail de quatre jours. Elle nous a regardés comme si elle s'attendait à de mauvaises nouvelles. Elle a demandé: «Est-ce que tout va bien?»

Nous lui avons dit que nous voulions davantage de temps d'arrêt. Davantage de temps pour flâner et apprécier la vie. Après lui avoir juré que nous n'étions pas malades, elle s'est emballée en demandant: «Est-ce qu'on libère des heures pour la télé?»

J'ai expliqué: «Non. Seulement plus de temps de loisirs en famille. Ton père et moi adorons notre travail, mais il peut être très demandant. Je dois voyager pour mes conférences et respecter les délais pour mes textes, tandis que ton père est sur appel. Tu travailles fort, toi aussi, pour tes travaux d'école. Nous voulons planifier des temps d'arrêt pour chacun d'entre nous.»

Quoique cette expérience me paraît géniale, ce fut terrifiant pour moi en tant que parent. Et si j'avais tort? Et s'il fallait vraiment de l'occupation et de l'épuisement? Et si elle ne se rendait pas à l'université de son choix parce qu'elle ne joue pas du violon, ne parle pas le mandarin et l'allemand et ne pratique pas six sports?

Et si nous sommes normaux et tranquilles et heureux? Cela compte-t-il?

J'imagine que la réponse à cette question est *oui* seulement si cela compte pour nous. Si ce qui nous importe est ce que nous pensons, alors le jeu et le repos sont importants. Si ce qui nous importe est ce que pensent ou disent ou valorisent les autres, alors on doit retourner à l'épuisement et à la productivité pour nous valoriser.

Aujourd'hui, je choisis le jeu et le repos.

DÉPASSEZ-VOUS

Faites preuve de résolution: Une des meilleures choses que nous avons faites en famille est cette liste «d'ingrédients qui contribuent à la joie et au sens». Je vous encourage à vous asseoir et à faire la liste des conditions spécifiques qui se trouvent présentes quand vous vous sentez bien dans votre vie. Comparez cette liste à votre liste *À faire* et à votre liste *À réussir*. Le résultat pourrait vous surprendre.

Inspirez-vous: Je m'inspire continuellement du travail de Stuart Brown sur le jeu, de même que du livre de Daniel Pink intitulé *A Whole New Mind*[45]. Si vous désirez en apprendre plus sur l'importance du jeu et du repos, lisez ces ouvrages.

Agissez: Dites *non* aujourd'hui. Désarçonnez le système. Enlevez quelque chose de vos listes et ajoutez «faire une sieste».

Et vous, comment vous dépassez-vous?

---

45. Daniel H. Pink, *A Whole New Mind: Why Right-Brainers Will Rule the Future*, éd. livre de poche (Penguin Group, Riverhead Books, 2006).

Cultiver le calme et l'immobilité

LÂCHER PRISE SUR
L'ANGOISSE COMME MODE DE VIE

Après l'arrivée de cette recherche dans ma vie, rappelez-vous que je me suis dirigée tout droit vers le bureau de ma thérapeute. Je savais que ma vie manquait d'équilibre et je voulais aller plus loin que ce que mon étude m'apprenait. Je désirais aussi comprendre pourquoi j'avais des vertiges chaque fois que je me sentais très anxieuse et tendue. Ces moments m'étourdissaient réellement, ils faisaient tournoyer la pièce où je me trouvais. À quelques reprises, il m'est même arrivé de tomber, littéralement.

Le vertige était nouveau; l'angoisse ne l'était pas. Avant de commencer à apprendre sur la vie sans réserve, j'avais toujours été capable de gérer mes priorités en concurrence, les besoins de ma famille et la pression incessante de la vie universitaire. À plusieurs égards, l'anxiété était une constante dans mon existence.

Cependant, à mesure que je développais une conscience de la vie sans réserve, c'est comme si mon corps me disait : « Je vais t'aider à amorcer ce nouveau mode de vie en rendant l'anxiété très difficile pour toi à ignorer. » Si je devenais trop tourmentée par l'anxiété, je devais littéralement m'asseoir pour ne pas tomber.

Je me souviens d'avoir dit à Diana, ma thérapeute: «Je ne peux fonctionner ainsi une minute de plus. Je ne peux vraiment plus.»

Elle m'a répondu: «Je sais. Je le vois. De quoi penses-tu avoir besoin?»

J'y ai pensé l'instant de quelques secondes et j'ai dit: «J'ai besoin de savoir comment me tenir sur mes deux jambes quand je me sens très anxieuse.»

Elle est restée assise à hocher la tête et à patienter, comme le font les thérapeutes. Elle a attendu et attendu et attendu.

J'ai soudain saisi quelque chose. «Oh, je comprends. Je ne peux pas fonctionner *de cette façon*, c'est ça? Autrement dit, je ne peux plus fonctionner avec autant d'anxiété. Ce dont j'ai besoin, ce n'est pas de trouver un moyen de continuer avec un tel niveau d'anxiété, mais comment être moins anxieuse.»

Ce truc du silence peut se révéler efficace. C'est emmerdant à souhait mais efficace.

Je me suis donc servie de mes recherches pour formuler un plan qui réduirait mon anxiété. Les hommes et les femmes que j'ai interviewés n'étaient pas immunisés contre l'anxiété, pas plus qu'ils ne la détestaient; seulement, ils en étaient conscients. Dans le style de vie auquel ils se consacraient, l'anxiété était une réalité mais pas un mode de vie. Ils y arrivaient en cultivant le calme et l'immobilité et ils intégraient dans leur vie ces pratiques comme étant une norme.

Le calme et l'immobilité sonnent un peu comme des synonymes, mais j'ai appris qu'ils sont différents et que nous avons besoin des deux.

Le calme

Je définis *le calme* comme le fait *de mettre les choses en pers-*
pective et de faire preuve de conscience lorsqu'il s'agit de gérer
ses réactions émotionnelles. Quand je pense à des gens calmes,
je pense à des gens qui savent mettre les choses en perspective
dans des situations compliquées et qui sont capables de ressentir leurs émotions sans réagir aux émotions vives comme la peur
ou la colère.

Lorsque j'étais enceinte d'Ellen, quelqu'un m'a donné un
petit livre intitulé *Baby Love: A Tradition of Calm Parenting* par
Maud Bryt[46]. La mère, la grand-mère et l'arrière-grand-mère de
Bryt étaient sages-femmes en Hollande et ce livre s'inspire de
leur sagesse. Je me vois encore assise dans ma balançoire neuve,
une main sur mon gros ventre de plusieurs mois et l'autre tenant
ce livre. Je me rappelle avoir pensé: *C'est mon but. Je veux être*
un parent calme.

Étonnamment, je suis un parent assez calme. Pas parce qu'il
m'est naturel de l'être, mais parce que je m'y exerce. Beaucoup.
Je trouve aussi un modèle incroyable dans la personne de mon
mari, Steve. En l'observant, j'ai appris la valeur de mettre les
choses en perspective et du calme dans les situations difficiles.

J'essaie d'être lente à réagir et rapide à penser: *Avons-nous*
au moins toute l'information nécessaire pour prendre une déci-
sion ou formuler une réponse? J'essaie aussi de rester très consciente des effets que le calme a sur une personne anxieuse ou
dans une situation d'anxiété. Une réaction tout en panique
engendre davantage de panique et davantage de peur. Comme

---

46. Maude Bryt, *Baby Love: A Tradition of Calm Parenting* (New York:
    Dell, 1998).

l'affirme l'auteure et psychologue Harriet Lerner : « L'anxiété est extrêmement contagieuse, mais le calme l'est tout autant[47]. » Aussi la question devient-elle : *Désirons-nous contaminer les gens avec encore plus d'anxiété, ou guérir la leur et la nôtre par le calme ?*

Si nous choisissons de guérir par le calme, il nous faut nous engager à le pratiquer. Les moindres détails comptent. Par exemple, avant de réagir, on peut compter jusqu'à dix ou se donner la permission de dire : « Je ne suis pas sûr. J'ai besoin d'y penser un peu plus. » Il est aussi extrêmement efficace d'identifier les émotions qui sont le plus susceptibles de déclencher des réactions, puis de pratiquer des réactions qui ne soient pas à fleur de peau.

Il y a quelques années, une publicité gouvernementale percutante montrait un homme et une femme en couple se criant dessus et se claquant la porte au nez. Ils hurlaient des injures comme « Je te haïs ! » ou « Mêle-toi de tes affaires » et « Je ne veux pas te parler ». En la regardant, on ne savait absolument pas pourquoi ils continuaient à se dire ces insultes, à claquer la porte et à recommencer. Après environ vingt secondes de cris et de hurlements, le couple se prenait tout à coup la main et s'éloignait de l'écran. L'un des deux disait à l'autre : « Je pense que nous sommes prêts. » Le montage laissait ensuite place au présentateur, qui ajoutait quelque chose comme : « Parlez à vos enfants de la drogue. Ce n'est pas facile, mais cela pourrait leur sauver la vie. »

Cette publicité est un excellent exemple de la pratique du calme. Dans une situation anxiogène ou délicate, notre réaction est rarement le calme, sauf si celui-ci nous a été transmis par nos parents et si nous l'avons exercé en grandissant.

---

47. Harriet Lerner, *The Dance of Connection : How to Talk to Someone When You're Mad, Scared, Frustrated, Insulted, Betrayed, or Desperate* (New York : HarperCollins, 2002).

Pour moi, respirer est le premier geste à faire. Le simple fait de prendre une respiration avant de répondre me ralentit et aide à faire circuler le calme dans mes veines. Il arrive aussi que je me dise : *Je suis sur le point de flipper! Ai-je assez d'information pour déraper? Piquer une crise m'aidera-t-il?* La réponse est toujours *non*.

L'immobilité

La notion d'immobilité est moins complexe que celle du calme mais, pour moi en tout cas, plus difficile à mettre en pratique. Si vous saviez à quel point j'étais réticente à ne serait-ce qu'écouter ces gens expliquer que l'immobilité faisait partie intégrante de leur vie sans réserve! De la méditation à la prière en passant par la réflexion silencieuse et les moments de solitude de façon régulière, ces hommes et ces femmes expliquaient qu'il était nécessaire de faire taire leur corps et leur esprit pour se sentir moins anxieux et moins accablés.

Je suis persuadée que ma résistance à cette idée vient du fait que penser à la méditation me rend anxieuse. Lorsque j'essaie de méditer, je me sens comme une véritable frimeuse. Quand je médite, je pense constamment que je dois arrêter de penser : *Bon, je ne pense plus à rien. Je ne pense plus à rien. Le lait, changer les couches, le détergent… arrête! Bon, ne plus penser. Ne plus penser. Oh, Seigneur. C'est fini?*

Je ne veux pas l'admettre, mais la vérité est que l'immobilité provoquait jadis beaucoup d'anxiété chez moi. Rester immobile, pour moi, se résumait bêtement à m'asseoir en indien par terre en focalisant sur le néant insaisissable. À mesure que j'analysais les témoignages recueillis, je me rendais compte que ma réflexion initiale était fausse. Voici la définition de l'*immobilité* qui a émergé des données :

L'immobilité ne nous appelle pas à nous concentrer sur quelque néant; elle nous invite à créer un espace. C'est ouvrir un espace libre de tout désordre émotionnel, et nous permettre de resentir, de rêver, de réfléchir et d'interroger.

Une fois que nous nous débarrassons de nos préjugés sur l'immobilité et que nous trouvons le moyen de créer un espace qui nous convient personnellement, nous avons de meilleures chances de nous ouvrir au monde et de confronter le prochain obstacle à l'immobilité: la peur. Et cela peut être une grande, grande peur.

En demeurant immobile assez longtemps pour créer un espace émotionnel paisible, la vérité de notre propre existence apparaît invariablement. Nous croyons qu'en restant occupés et en perpétuel mouvement, la réalité ne pourra pas nous rattraper. Alors nous essayons de semer cette réalité qui nous dit que nous sommes épuisés, effrayés, confus et submergés. L'ironie, évidemment, est la suivante: la chose qui nous abîme est précisément celle qui essaie de demeurer toujours devant nous. C'est le cercle vicieux même de l'anxiété: elle se nourrit d'elle-même. Je dis souvent que lorsqu'il y aura des *meetings* Douze Étapes pour les gens qui n'arrêtent jamais, on aura besoin de louer des stades de football.

En plus de la peur, un autre obstacle au calme et à l'immobilité est notre éducation: comment on nous a habitués, petits, à percevoir cette pratique. Dès les premières années de la vie, on reçoit des messages déroutants sur la valeur du calme et de l'immobilité. Parents et enseignants s'agitent et crient: «Calme-toi!» et «Assieds-toi!» plutôt que d'incarner les comportements qu'ils désirent voir. Donc, au lieu de devenir des pratiques que nous voulons cultiver, le calme ouvre la voie à une anxiété continuelle, alors que l'immobilité nous fait sentir nerveux.

Dans ce monde de plus de plus anxieux et compliqué, on a besoin de plus de temps pour faire moins et pour être moins. Il peut être ardu de commencer à cultiver le calme et l'immobilité dans sa vie, surtout quand on constate à quel point le stress et l'angoisse définissent tellement notre quotidien. Mais à mesure qu'on s'y exerce, l'anxiété perd du terrain, tandis qu'on voit de plus en plus lucidement ce qu'on fait, l'endroit où l'on va et ce qui est véritablement porteur de sens pour soi.

DÉPASSEZ-VOUS

Faites preuve de résolution: Ma désintoxication de l'anxiété a consisté à faire davantage de place au calme et à l'immobilité dans ma vie, mais aussi à faire plus d'exercice et à consommer moins de caféine. Je connais tant de gens qui avalent quelque chose la nuit pour les aider à dormir et qui boivent de la caféine à longueur de journée pour rester éveillés. Le calme et l'immobilité sont des remèdes puissants contre l'insomnie en général et le manque d'énergie. L'augmentation de ma dose quotidienne de calme et d'immobilité, en plus de la marche et de la natation et du rationnement de la caféine, ont fait des merveilles dans ma vie.

Inspirez-vous: Je demeure inspirée et transformée par le livre *The Dance of Connection* d'Harriet Lerner[48]. Lerner explique que nous avons tous des façons archétypales de gérer l'anxiété. Certains d'entre nous y répondent en «*sur*-fonctionnant» et d'autres en «*sous*-fonctionnant». Les surfonctionnels ont tendance à bouger rapidement pour conseiller, secourir, prendre en charge, microgérer les affaires des autres plutôt que de regarder en eux-mêmes. Les sousfonctionnels, eux, ont tendance à être moins compétents sous l'effet du stress. Ils invitent les autres à

---

48. Ibid.

les prendre en charge et deviennent souvent la cible des soucis ou des commérages familiaux. On appelle parfois le sousfonctionnel l'«irresponsable», l'«enfant à problème» ou «celui qui est fragile». Lerner explique qu'en reconnaissant ces comportements comme des réactions archétypales à l'anxiété plutôt que comme des vérités sur ce que nous sommes, on arrive à mieux comprendre que nous pouvons changer. Les surfonctionnels comme moi peuvent apprendre à accepter leurs vulnérabilités devant l'anxiété, tandis que les sousfonctionnels peuvent travailler à augmenter leurs forces et leurs compétences.

Agissez: Expérimentez différentes formes de calme et de silence. À chacun de trouver ce qui fonctionne pour lui. Pour être honnête, je ne suis jamais aussi ouverte et libre de tout désordre émotionnel que lorsque je marche seule dehors. Je ne suis alors pas techniquement immobile, mais c'est ainsi que je crée mon espace émotionnel.

Et vous, comment vous dépassez-vous?

♥

Cultiver un travail porteur de sens

LÂCHER PRISE SUR
LE DOUTE DE SOI ET LES « DEVRAIS »

Dans le chapitre sur la créativité, j'ai écrit qu'une partie considérable de mon travail consiste à faire des connexions. En fait, le cœur de mon ouvrage est de découvrir et de nommer ces connexions subtiles et souvent inexprimées entre ce que nous pensons, ressentons et faisons. Tantôt elles sont faciles à trouver et se mettent bien en place. Tantôt elles sont fuyantes et semblent brouiller les cartes plus qu'autre chose. Cette balise-ci est née d'une de ces expériences brumeuses, mais avec le temps, j'ai découvert de saisissantes connexions.

Au début de mes recherches, il ne faisait aucun doute pour moi que vivre une vie sans réserve incluait aussi d'accomplir un travail qui soit signifiant, comme l'ont dit plusieurs des personnes que j'ai interviewées, c'est-à-dire *porteur de sens*. D'autres ont parlé de vocation. Et certaines ont simplement décrit ressentir à l'égard de leur travail un sentiment formidable d'accomplissement et de pertinence. Tout cela semblait clair et net, à l'exception de cette agaçante liste de mots qui étaient considérés importants et semblaient *connectés* au désir d'accomplir un travail porteur de sens:

- dons et talents
- spiritualité
- vivre de son gagne-pain

- engagement

- devrais

- doute de soi

Je dis « agaçante » parce que j'ai mis du temps à comprendre le fonctionnement de ces concepts ensemble. La partie épuisée de moi-même aurait voulu oublier ces mots « de trop », à la manière de Steve lorsqu'il assemble un meuble IKEA et qu'il se retrouve avec douze vis inutilisées après avoir assemblé le meuble. J'aurais voulu fermer les yeux et faire comme si ces mots n'avaient pas existé.

Mais je ne pouvais pas. J'ai donc isolé la notion de travail porteur de sens, passé en entrevue plus de gens, trouvé les connexions et reformulé cette balise. Voici ce qui en est ressorti :

- *Nous avons tous des dons et des talents.* Quand nous les cultivons et les partageons avec le monde, nous donnons un sens et une vision à notre vie.

- *Gaspiller nos dons et nos talents entraîne la détresse dans notre vie.* Ce n'est pas seulement de se dire *tant pis* si nous n'utilisons pas ce qui nous a été donné; nous le payons au prix de notre bien-être émotionnel et physique. Ne pas utiliser ses talents pour accomplir un travail porteur de sens conduit au tourment. Nous nous sentons déconnectés et abattus par des sentiments de vide, de frustration, de ressentiment, de honte, de déception, de peur et même de chagrin.

- La plupart d'entre nous en quête d'une connexion spirituelle passent trop de temps à fixer le ciel en se demandant pourquoi Dieu demeure si loin. Dieu vit en nous, pas au-dessus de nous. *Partager nos dons et nos talents avec le monde est à la source de la plus puissante connexion avec Dieu.*

- *Utiliser nos dons et nos talents pour produire un travail porteur de sens demande un immense engagement,* car très souvent le travail en question n'est pas ce qui paie le loyer. Certaines personnes arrivent à aligner le tout : elles se servent de leurs dons et de leurs talents pour accomplir un travail qui nourrit à la fois leur âme et leur famille ; toutefois, la majorité des gens doivent procéder « à la pièce ».

- Personne ne peut nous dicter ce qui est signifiant pour nous. Ce n'est pas à la société de déterminer si c'est de travailler à l'extérieur de la maison, d'élever des enfants, de faire son droit, d'enseigner ou de peindre. *Comme nos dons et nos talents, le sens est unique pour chacun d'entre nous.*

Le doute de soi et les « devrais »

La horde des diablotins peut nous empêcher de cultiver un travail porteur de sens. Ils commencent par nous railler sur nos dons et nos talents :

- « Peut-être que tout le monde a des dons particuliers… *mais pas toi.* C'est peut-être pour cette raison que tu ne les as pas encore trouvés. »

- « Oui, tu fais ça de belle façon, mais ce n'est pas vraiment un don. Ce n'est pas assez gros ou assez important pour être un réel talent. »

Le doute de soi ralentit la découverte et le partage de nos dons avec le monde. De surcroît, si développer et partager nos dons honore notre connexion avec Dieu, le doute de soi permet à notre peur de miner notre foi.

Les diablotins carburent aux « devrais » : c'est le cri de guerre pour se fondre dans la masse, au perfectionnisme, à la complaisance et à la performance :

- « Tu devrais te soucier de l'argent que tu fais, non pas du sens. »

- « Tu devrais te montrer adulte et être _____. C'est là-dessus que les gens comptent. »

- « Tu devrais haïr ton travail; c'est la définition du travail. »

- « Si tu es brave, tu devrais quitter ton boulot et suivre tes rêves. Ne t'inquiète pas pour l'argent! »

- « Tu devrais choisir: un travail que tu aimes ou un travail qui subvient aux besoins de ceux que tu aimes. »

Pour venir à bout du doute de soi et des « devrais », il faut nous approprier ces chuchotements. Qu'est-ce qui nous fait peur? Qu'est-ce qui se trouve sur notre liste de « devrais »? Qui le dit? Pourquoi?

Nos diablotins sont comme des enfants en bas âge: si vous les ignorez, ils parleront plus fort. Il vaut mieux prendre le temps d'accueillir ces petites voix. Notez par écrit ce qu'ils disent. Je sais que cela semble contre-intuitif, mais les écrire et se les approprier ne leur donnera pas plus de pouvoir; au contraire, cela nous en confère. Cela nous donne l'opportunité de dire: « Je saisis. Je vois bien que j'ai peur de faire telle chose, mais je vais la faire quand même. »

Ravi de vous rencontrer.
Vous faites quoi dans la vie?

En plus des diablotins, une autre chose nous bloque l'accès à un travail porteur de sens: nous avons du mal à définir honnêtement qui nous sommes et ce que nous faisons. Dans un monde qui valorise la primauté du boulot, la question que nous posons le plus souvent aux autres, et qu'on nous demande, est: « Vous faites quoi dans la vie? » Autrefois, je grimaçais chaque fois que quelqu'un me la posait. Je me sentais devant deux possibilités : me réduire à une bouchée facilement digestible à l'aide de petites phrases, ou bien mélanger à fond mon interlocuteur.

Maintenant ma réponse à la question *Vous faites quoi dans la vie ?* est : « Combien de temps avez-vous devant vous ? »

La plupart d'entre nous ont des réponses compliquées à cette question. Par exemple, je suis mère, conjointe, chercheuse, écrivaine, conteuse, sœur, amie, fille et enseignante. Tous ces qualificatifs forment qui je suis, alors je ne sais jamais comment répondre à la question. Pour être bien franche, je suis lasse de choisir la voie facile pour la personne qui me pose cette question.

En 2009, j'ai rencontré Marci Alboher, écrivaine-conférencière-mentor. Les traits d'union de son titre sont très pertinents puisque Marci Alboher est l'auteure d'un livre intitulé *One Person/Multiple Careers : A New Model for Work/Life Success*[49].

Alboher a interviewé des centaines de personnes qui poursuivent simultanément plus d'une carrière. Elle a constaté que les carrières en trait d'union (comme chercheur-conteur, artiste-agent immobilier) permettent d'intégrer et d'exprimer pleinement de multiples passions, talents et intérêts, chose qu'une seule carrière ne peut accommoder. Le livre de Marci regorge d'histoires de gens qui se sont engagés dans des activités porteuses de sens parce qu'ils refusaient de se laisser définir par une seule activité professionnelle. On y lit, par exemple, le témoignage d'un débardeur-réalisateur de documentaires, d'un conseiller en gestion-dessinateur, d'un avocat-chef cuisinier, d'un rabbin-humoriste, d'un chirurgien-dramaturge, d'un conseiller fiscal-rapper et d'un thérapeute-violoniste.

---

49. Marci Alboher, *One Person/Multiple Careers : A New Model for Work/Life Success* (New York : Business Plus, 2007).

Je souhaitais vous parler de l'«effet trait d'union» parce que dans l'univers des blogues, de l'art et de l'écriture, je croise énormément de gens qui ont peur de déclarer leur travail. Par exemple, récemment, dans une conférence sur les réseaux sociaux, j'ai rencontré une femme qui est comptable-joaillière. J'avais hâte de la connaître, parce que j'avais acheté en ligne une magnifique paire de boucles d'oreilles confectionnées par elle. Lorsque je lui ai demandé depuis combien de temps elle était joaillière, elle a rougi et répondu: «J'aimerais bien. Mais je suis comptable. Je ne suis pas une vraie joaillière.»

Je me suis dit: *Je porte vos boucles d'oreilles en ce moment, pas votre chiffrier.* Quand j'ai pointé du doigt mes oreilles et que j'ai dit: «Bien sûr que vous l'êtes», elle a simplement souri et répondu: «Je ne gagne pas vraiment d'argent avec ça. Je le fais parce que j'aime ça.» Aussi absurde que cela pouvait me paraître, je saisissais très bien ce qu'elle voulait dire. De la même façon, je déteste me dire écrivaine parce que cela ne me paraît pas légitime. Je ne suis pas *assez* écrivaine. Venir à bout du doute de soi, c'est simplement croire qu'on est à la hauteur, c'est lâcher prise sur ce que le monde dit qu'on est censé être.

À chaque semestre, je partage avec mes étudiants une citation du théologien Howard Thurman. La citation qui suit a toujours été l'une de mes favorites, mais maintenant que j'ai étudié l'importance d'un travail porteur de sens, elle revêt une toute nouvelle signification: «Ne vous demandez pas ce dont le monde a besoin. Demandez-vous ce qui vous fait sentir vivant, puis faites-le. Car ce dont le monde a besoin, c'est de gens passionnés.»

Dépassez-vous

Faites preuve de résolution: Il faut parfois du temps pour trouver comment s'engager avec résolution dans une activité porteuse de sens. Personnellement, je suis arrivée à circonscrire mes options et j'ai noté par écrit ce que «signifiant, ou porteur de sens» veut dire pour moi. Présentement, cela signifie que je veux un travail inspirant, contemplatif et créatif. J'utilise ces critères comme filtre pour prendre des décisions concernant mes activités, mes engagements et l'utilisation de mon temps.

Inspirez-vous: Je recommande vivement *One Person/Multiple Careers* de Marci Alboher. Ce livre propose beaucoup de stratégies concrètes sur la vie «en trait d'union». Malcolm Gladwell est également une source constante d'inspiration pour moi. Dans son bouquin *Outliers*, Gladwell suggère trois critères pour s'engager dans un travail porteur de sens (la complexité, l'autonomie, et la relation entre l'effort et la récompense) et affirme que ces caractéristiques se retrouvent souvent dans le travail de création[50]. Les critères de Gladwell s'accordent parfaitement avec la culture du travail porteur de sens dans le contexte d'une vie sans réserve. Enfin, je pense que tous devraient lire *L'Alchimiste*[51] de Paulo Coelho: j'essaie de le lire au moins une fois par année. C'est une façon puissante de percevoir les connexions entre nos dons, notre spiritualité et notre travail (avec ou sans trait d'union), et de comprendre comment ces connexions créent un sens à notre vie.

Agissez: Faites une liste d'activités ou de boulots qui vous inspirent. Ne soyez pas pragmatique. Ne pensez pas au gagne-pain;

---

50. Malcolm Gladwell, *Outliers: The Story of Success* (New York: Hachette Book Group, Little, Brown and Company, 2008).
51. Paulo Coelho, *The Alchimist* (New York: HarperCollins, 2006).

pensez à quelque chose que vous adorez. Rien ne dit que vous devez quitter votre boulot quotidien pour cette activité porteuse de sens. Rien ne dit non plus que votre boulot quotidien n'est pas un travail signifiant : peut-être n'y avez-vous simplement jamais pensé de cette manière. Quel est votre trait d'union idéal ? Que voulez-vous faire quand vous serez grand ? Qu'est-ce qui apporte sens et vision à votre vie ?

Et vous, comment vous dépassez-vous ?

♥

Cultiver le rire, la chanson et la danse

LÂCHER PRISE SUR LE « CONTRÔLE »

Dansez comme si personne ne regardait.
Chantez comme si personne n'écoutait. Aimez
comme si vous n'aviez jamais eu le cœur en morceaux
et vivez comme si c'était le paradis sur Terre.

– MARK TWAIN

Depuis que le monde est monde, l'être humain compte sur le rire, la chanson et la danse pour s'exprimer, pour communiquer ses récits et ses émotions, pour célébrer et pleurer, pour enrichir sa communauté. La plupart des gens diraient qu'une vie sans rire, sans musique et sans danse serait insoutenable, et pourtant, on tient si facilement ces expériences pour acquises.

Le rire, la chanson et la danse font tellement partie intégrante de notre quotidien que nous oublions parfois à quel point nous trouvons importantes les personnes qui nous font rire, les chansons qui nous donnent envie de baisser la fenêtre de la voiture et de chanter à tue-tête, et la complète liberté qui nous envahit quand nous «dansons comme si personne ne regardait».

Dans son livre *Dancing in the Streets: A History of Collective Joy*, la sociologue Barbara Ehrenreich s'inspire de l'Histoire et de l'anthropologie pour documenter l'importance de s'engager dans ce qu'elle appelle l'«extase collective». Ehrenreich en conclut que nous sommes des «êtres foncièrement sociaux, appelés presque instinctivement à partager notre joie[52]». Je crois dur comme fer qu'elle a raison. J'adore également l'idée d'extase collective: en particulier aujourd'hui, alors que nous semblons pris dans un état de peur et d'anxiété collectives.

Tandis que je passais au crible les résultats de mes recherches, je me suis posé deux questions:

1. Pourquoi le rire, la chanson et la danse sont-ils si essentiels pour nous?

2. Ont-ils en commun un quelconque élément transformationnel?

Il s'agissait de questions peu évidentes à résoudre parce que, certes, nous aspirons à rire et à chanter et à danser lorsque nous ressentons la joie, mais nous nous tournons aussi vers ces moyens d'expression quand nous nous sentons seuls, tristes, excités, amoureux, le cœur brisé, effrayés, honteux, confiants, sûrs de tout, insécures, braves, éplorés ou en extase (pour n'en nommer que quelques-uns). Je suis convaincue qu'il se trouve une chanson, une danse et un rire pour chaque émotion humaine.

Après quelques années à analyser mes données, voici ce que j'ai appris:

Le rire, la chanson et la danse créent une connexion émotionnelle et spirituelle. Ils nous rappellent la seule chose qui importe quand nous recherchons le réconfort, la célébration, l'inspiration ou la guérison: nous ne sommes pas seuls.

---

52. Barbara Ehrenreich, *Dancing in the Streets: A History of Collective Joy* (New York: Metropolitan Books, 2006).

Ironiquement, c'est pendant mes huit années d'étude sur la honte que j'ai appris le plus sur le rire. La résilience à la honte a besoin du rire. Dans *I Thought It Was Just Me*, je parlais du *rire complice*, cette sorte de rire qui nous soigne. Le rire est une forme spirituelle de communion; il nous permet de se dire l'un à l'autre, sans mots: «Je sais ce que tu sens. Je suis avec toi.»

Le véritable rire n'est pas l'utilisation de l'humour pour de l'autodénigrement ou de la fuite; ce n'est pas le genre de rire jaune et douloureux que nous dissimulons parfois. Le rire complice incarne le soulagement et la connexion puissante que nous ressentons en partageant nos histoires: nous ne rions pas l'un de l'autre mais l'un *avec* l'autre.

L'une de mes définitions favorites du rire vient de l'écrivaine Anne Lamott, que j'ai déjà entendue: «Le rire est une forme pétillante et effervescente de sainteté.» Amen!

La chanson

Depuis les cassettes huit-pistes que mes parents faisaient jouer dans la voiture familiale jusqu'à ma pile de vinyles des années 70, en passant par mes compilations des années 80 et 90 et par mes listes iTunes de mon nouvel ordinateur, ma vie a une bande sonore. Et rien ne se compare à cette bande sonore pour éveiller des souvenirs et des émotions en moi.

Je suis consciente que tout le monde ne partage pas la même passion pour la musique, mais s'il y a une chose universelle au sujet de la chanson, c'est sa capacité de nous remuer émotionnellement, parfois sans que nous y pensions. Par exemple, je visionnais récemment la version du réalisateur d'un film. J'ai pu voir une scène très dramatique avec la musique, puis sans la musique. Je n'arrivais pas à croire la différence.

La première fois que j'ai regardé ce film, je n'avais même pas remarqué que la musique jouait. Je me tenais agrippée à mon siège en attendant et en espérant que les choses se déroulent comme je le voulais. Quand j'ai visionné la même scène sans la musique, la scène tombait carrément à plat. Elle ne dégageait pas le même niveau d'appréhension. Sans musique, elle donnait l'impression d'être factuelle, pas émotionnelle.

Qu'il s'agisse d'un hymne à l'église, d'un hymne national, d'un chant d'équipe collégiale, d'une chanson à la radio, ou d'une bande sonore soigneusement enregistrée d'un film, la musique nous offre connexion et contact : une chose dont l'absence nous est impensable.

La danse

Je mesure la santé spirituelle de ma famille à la quantité de danse qui se fait dans notre cuisine. Je suis sérieuse. La chanson favorite de Charlie pour danser est « Kung Fu Fighting » et Ellen aime « Ice Ice Baby » de Vanilla Ice ! Nous sommes des amants de musique et de danse, pas des snobs. Et nous n'hésitons pas non plus à nous déhancher sur des vieux airs comme « The Twist » ou « La Macarena ». Nous n'avons pas une grande cuisine, alors quand nous y sommes tous les quatre, en chaussettes et en tournoyant, cela ressemble davantage à danser le pogo qu'à une chorégraphie bien rôdée. C'est le bazar, mais c'est toujours amusant.

Il m'a fallu peu de temps pour apprendre que la danse est un sérieux problème pour nombre de gens. Rire hystériquement peut nous faire sentir un peu hors de contrôle, et on peut être gênés de chanter à voix haute, mais la danse est pour plusieurs personnes la forme d'expression de soi qui rend le plus vulnérables. C'est une vulnérabilité qui prend corps, littéralement. Selon moi, la seule autre vulnérabilité qui prend corps ainsi est celle d'être nu devant quelqu'un. Je n'ai pas besoin de vous dire à quel point cela peut créer un sentiment de vulnérabilité pour la plupart d'entre nous.

Pour plusieurs, prendre le risque de cette vulnérabilité publique est trop pénible, alors ils dansent à la maison ou seulement devant ceux qu'ils connaissent bien. Pour d'autres, le sentiment vulnérable est si écrasant qu'ils ne dansent pas du tout. Une femme m'a déjà dit: «Parfois, quand je regarde la télévision et que les gens y dansent ou qu'une bonne chanson y joue, je tape du pied sans m'en rendre compte. Quand je me prends sur le fait, je me sens embarrassée. Je n'ai aucun rythme.»

Il ne fait pas de doute que certaines personnes sont musicalement plus disposées ou plus coordonnées que d'autres, mais je commence à croire que la danse fait partie de notre ADN. Je ne parle pas de danse dernier cri, de danse en ligne ou de danse professionnelle, mais de cet élan puissant vers le rythme et le mouvement. On constate facilement ce désir de bouger chez les enfants. Tant qu'ils n'ont pas appris à se soucier de leur apparence et de ce que pensent les autres, ils dansent. Ils dansent même tout nus. Pas toujours gracieusement ou avec le rythme, mais toujours avec joie et plaisir.

L'écrivaine Mary Jo Putney dit: «Ce qu'on aime dans l'enfance reste pour toujours dans le cœur.» Si cela est vrai, et je crois que ça l'est, alors la danse demeure dans notre cœur, même si notre tête se soucie exagérément du jugement des autres.

Être maître de soi et
« toujours en contrôle »

*La seule véritable devise dans ce monde en faillite
est ce que vous partagez avec quelqu'un d'autre
lorsque vous baissez votre garde.*

– TIRÉ DU FILM *ALMOST FAMOUS*, 2000

Rire de bon cœur, chanter à tue-tête et danser comme si personne ne regardait est sans contredit sain pour l'âme. Mais comme je l'ai mentionné, ce sont également des exercices de vulnérabilité. Il se trouve de nombreux pièges à honte autour du rire, de la chanson et de la danse. La liste inclut la peur d'être perçu comme bizarre, bouffon, niaiseux, excentrique, à fleur de peau, incontrôlable, immature, stupide et fêlé. Pour la plupart d'entre nous, voilà une liste assez effrayante. Les diablotins sont constamment là pour s'assurer que l'expression de soi céde sa place à l'autoprotection et à la timidité.

- « Qu'est-ce que les gens vont penser ? »
- « Tout le monde te regarde : calme-toi ! »
- « T'as l'air ridicule ! Un peu de tenue ! »

Les femmes que j'ai interviewées mentionnaient le danger d'être perçues comme « exubérantes » ou « incontrôlables ». Je ne compte pas le nombre de femmes qui m'ont relaté l'expérience douloureuse de s'être montrées hardies, seulement pour se faire dire d'un ton condescendant : « Woh... du calme ».

Les hommes, eux, mentionnaient tout de suite le danger d'être perçus comme « incapables de se maîtriser ». Un homme m'a dit : « Les femmes disent que nous devrions nous *lâcher lousses* et nous amuser. Je ne sais pas si elles nous trouvent séduisants quand nous allons sur la piste de danse et que nous avons l'air d'imbéciles devant les autres gars ou, pire, devant les amis de notre blonde. Il est plus facile de nous abstenir et de faire comme si la danse ne nous intéressait pas. Même quand on aimerait vraiment danser. »

Les hommes et les femmes contournent ces menaces à leur dignité de plusieurs façons, mais la réaction la plus courante est de tout faire pour être perçus comme « maîtres de soi » et « en contrôle ». Vouloir paraître maître de soi, ce n'est pas devenir Arthur dans l'émission *Happy Days*, c'est minimiser la vulnérabilité afin de réduire le risque d'être ridiculisé.

Pour éviter la vulnérabilité, nous enfilons vite la camisole de force émotionnelle et comportementale que nous croyons devoir porter pour paraître maîtres de soi, puis nous posons pour être conformes ou « meilleurs que ». Être en contrôle ne reflète pas toujours le désir de manipuler les circonstances, mais souvent le besoin de gérer les perceptions. Nous voulons être capables de contrôler ce que les autres pensent à notre sujet afin de nous sentir à la hauteur.

J'ai grandi dans une famille où la maîtrise de soi et l'adaptation étaient hautement valorisés. Aujourd'hui, c'est un effort constant pour moi de me laisser être vulnérable et authentique en ce qui a trait à chanter, danser et rire. Une fois devenue adulte, je pouvais rire, chanter et danser à condition de ne pas passer pour un clown ou pour quelqu'un de ridicule ou maladroit. Pendant des années, la danse, le chant et le rire ont été un possible piège à honte pour moi.

Lors de ~~ma dépression~~ mon Éveil Spirituel en 2007, j'ai appris à quel point j'étais passée à côté de beaucoup de choses à cause de cette prétendue maîtrise de soi. J'ai compris que l'une des raisons pour lesquelles j'ai peur d'essayer de nouvelles activités (comme le yoga ou le hip-hop à mon gym) est ma peur d'être perçue comme ridicule et maladroite.

J'ai investi beaucoup de temps et d'énergie à y travailler. C'est un lent processus. Encore aujourd'hui, je ne me permets d'être loufoque et ridicule qu'avec des gens en qui j'ai confiance, mais je pense que ça va. Je travaille dur aussi à ne pas transmettre ce problème à mes enfants. Il est aisé de le faire lorsque nous ne sommes pas conscients des diablotins et des pièges à honte. En voici la preuve :

L'an dernier, j'ai dû me rendre au magasin Nordstorm pour me procurer un peu de maquillage. J'étais d'une humeur « rien-ne-me-fait-et-je-me-sens-comme-Jabba-le-Hutt », alors j'ai revêtu un de mes chandails les plus amples, placé mes cheveux sales vers l'arrière avec un bandeau, et j'ai dit à Ellen : « On y fait juste un saut et on repart. »

En nous rendant au magasin, Ellen m'a rappelé que les souliers que sa grand-mère lui avait achetés étaient dans le coffre de la voiture et a suggéré de profiter que nous étions au magasin pour les échanger contre une pointure plus grande. Une fois le maquillage acheté, nous sommes donc montées à la section chaussures pour enfants. Aussitôt arrivées en haut par l'escalier roulant, j'ai aperçu un trio de femmes splendides debout dans la section chaussures. Perchées sur leurs bottes pointues à talons hauts, elles avaient les cheveux (propres) qui flottaient sur leurs épaules étroites et galbées, et elles regardaient leurs filles également magnifiques essayer des baskets.

Tandis que je me faisais violence pour éviter les comparaisons en me concentrant sur les rangées de chaussures, j'ai remarqué du coin de l'œil un mouvement flou et saccadé. C'était Ellen. Une chanson pop était en train de jouer dans le rayon de vêtements pour enfants voisin, et Ellen, ma fille de huit ans pleine d'assurance, dansait. Pour être plus précise, elle faisait le robot.

À l'instant précis où Ellen a levé la tête et m'a vue la regarder, j'ai moi-même jeté un coup d'œil aux splendides mamans et à leurs filles assorties qui la dévisageaient. Les mères semblaient gênées à la place d'Ellen, et leurs filles, un peu plus âgées que la mienne, étaient visiblement sur le point de faire ou de dire quelque chose de mesquin. Ellen a figé. Toujours penchée vers l'avant, les bras rigides au beau milieu d'un mouvement de robot, elle a cherché mon regard avec des yeux qui disaient : «Je fais quoi, maman?»

Ma réaction par défaut à un tel scénario aurait été de toiser Ellen d'un regard réprobateur qui dit : «Voyons, contrôle-toi un peu!» Autrement dit, ma réaction immédiate aurait été de me sauver en trahissant Ellen. Dieu merci, ce n'est pas ce que j'ai fait. La conjoncture sauva ma réaction : le fait d'être immergée dans l'élaboration du présent ouvrage, mon instinct de mère qui s'avéra plus puissant que ma peur, et aussi une grâce pure et simple, tout cela m'a murmuré : «Choisis Ellen! Sois de son côté!»

J'ai jeté un nouveau coup d'œil aux autres mères, puis à Ellen, et j'ai pris mon courage à deux mains. J'ai souri et dit à ma fille : «Tu dois ajouter un peu d'épouvantail à tes mouvements.» J'ai laissé mon poignet et ma main pendre de mon bras tendu et j'ai battu l'air de mon avant-bras. Ellen a souri. Nous sommes restées debout au milieu du rayon des chaussures et avons pratiqué nos mouvements jusqu'à ce que la chanson soit terminée. Je ne sais pas comment ont réagi les figurantes à notre chorégraphie, je n'ai pas lâché Ellen des yeux une seconde.

Trahison est un mot clé de cette dixième balise. Lorsque nous accordons plus d'importance au fait de se maîtriser et d'être en contrôle plutôt que de donner libre cours à l'expression de notre côté passionné, clownesque, naturel et plein d'âme, nous nous trahissons nous-mêmes. Et quand on se trahit soi-même consciemment, alors on peut s'attendre à trahir aussi les gens qu'on aime.

Quand on ne s'autorise pas à être libres, on tolère difficilement cette liberté chez les autres. On les rabaisse, on se moque d'eux, on ridiculise leurs comportements, et parfois on les humilie. Ce peut être fait délibérément ou inconsciemment, mais dans un cas comme dans l'autre, le message est : « Voyons, contrôle-toi un peu. »

Les Hopis (des Amérindiens) ont un adage : « Nous regarder danser, c'est entendre nos cœurs s'exprimer. » Je sais quel courage cela prend de laisser les autres entendre nos cœurs s'exprimer, mais la vie est trop précieuse pour la passer à faire semblant d'être maîtres de soi et en contrôle alors que nous pourrions rire, chanter et danser.

Dépassez-vous

Faites preuve de résolution : Si nous croyons effectivement que le rire, la chanson et la danse sont essentiels à notre âme, comment faire pour leur donner l'espace qu'ils méritent dans notre vie ? Une chose que nous avons commencé à pratiquer chez nous est de faire jouer de la musique dans la cuisine pendant que nous faisons la vaisselle après le souper. Nous dansons et chantons, et ça se termine toujours en rigolade.

Inspirez-vous : J'adore créer des « listes de musique thématiques » : des chansons que je regroupe parce qu'elles correspondent à différents états d'esprit. J'ai toutes sortes de listes, depuis la liste « Dieu est dans mon iPod » à la liste « Cours ta vie ». Ma préférée est la liste « Moi authentique » : j'y ai réuni les chansons qui me font sentir le plus moi-même.

Agissez : Osez vous laisser aller. Dansez chaque jour, ne serait-ce que quelques minutes. Faites un CD de chansons à chanter dans la voiture. Ou laissez-vous aller à regarder cette vidéo ridicule sur YouTube qui vous fait rire chaque fois!

Et vous, comment vous dépassez-vous?

💜

En guise de conclusion

Je pense que la plupart d'entre nous ont mis au point un radar à sottises assez sensible lorsqu'il est question de lire des ouvrages de «croissance personnelle», et je crois que c'est une bonne chose. Il y a trop de bouquins qui font des promesses qu'ils ne peuvent tenir, ou qui laissent croire que le changement est beaucoup plus facile qu'il ne l'est en réalité. La vérité est que le changement signifiant, porteur de sens, c'est un processus. Il peut être inconfortable et souvent risqué, en particulier quand il s'agit d'accepter nos imperfections, de cultiver l'authenticité et de regarder l'univers dans les yeux en disant: «Je suis à la hauteur.»

Pour craintifs que nous soyons de ce changement, la question qu'il nous faut nous poser est la suivante: *Quel est le plus grand risque? Lâcher prise sur ce que pensent les autres ou lâcher prise sur ce que je ressens, ce que je crois et ce que je suis?*

Vivre sans réserve, c'est s'engager dans sa propre existence avec dignité. C'est cultiver le courage, la compassion, la connexion et pouvoir se lever le matin en pensant: *Peu importe ce qui sera fait aujourd'hui et ce qui ne le sera pas encore, je suis à la hauteur.* C'est aller au lit le soir en se disant: *Oui, je suis imparfait et vulnérable, et même parfois effrayé, mais cela ne change rien au fait que je suis également courageux, digne d'amour et d'appartenance.*

Il me paraît sensé que les grâces de l'imperfection sont le courage, la compassion et la connexion, car lorsque je considère ma vie en rétrospective, avant l'ouvrage que vous avez entre les mains, je me rappelle m'être souvent sentie craintive, pleine de jugements et seule: autrement dit, j'obtenais l'opposé de ces grâces. Je me demandais: *Qu'arrivera-t-il si je n'arrive pas à jongler avec toutes ces balles dans les airs? Pourquoi tout le monde ne travaille-t-il pas plus dur et ne répond-il pas à mes attentes? Que penseront les gens si j'échoue ou si j'abandonne? Quand donc pourrai-je cesser d'avoir à prouver ma valeur?*

Prendre le risque de me perdre moi-même me semblait alors beaucoup plus dangereux que de laisser autrui me voir telle que j'étais. Il s'est écoulé quatre années depuis ce jour de 2006 où mes propres recherches ont bouleversé ma vie. Ces quatre années furent les plus belles de ma vie, et je n'en changerais pas une seule chose. ~~La dépression~~ l'Éveil Spirituel fut difficile, mais je suis entêtée. J'imagine que l'univers avait besoin d'une manière d'attirer mon attention.

Peu importe le rayon où sera classé mon livre à votre librairie, je ne suis pas certaine du tout qu'il traite de croissance personnelle. Je le vois davantage comme une invitation à joindre une révolution pour vivre sans réserve. C'est un mouvement petit, silencieux et concret qui débute lorsqu'on se dit: *Mon histoire importe parce que j'ai de l'importance.* Un mouvement grâce auquel nous pouvons descendre dans les rues avec nos vies imparfaites, libres, déployées, merveilleuses, émouvantes, bénies par la grâce, et joyeuses. Un mouvement nourri de la liberté qui naît lorsque nous cessons de *prétendre* que tout va bien. Un appel qui part de nos tripes lorsque nous trouvons le courage de célébrer ces moments intensément joyeux, nous qui sommes trop souvent habitués à croire que savourer le bonheur est une invitation au désastre.

Le mot *révolution* peut sembler un petit peu dramatique, mais, dans ce monde, choisir l'authenticité et la dignité s'avèrent de véritables actes de résistance. Le choix de vivre et d'aimer à cœur ouvert est un acte de défi. Vous allez embarrasser, irriter, faire peur à beaucoup de gens; incluant vous-même. Un moment vous prierez pour que la transformation cesse, et le moment suivant vous prierez pour qu'elle ne s'arrête jamais. Vous vous demanderez aussi comment il se fait que vous éprouvez autant de bravoure que de peur à la fois. C'est du moins ainsi que je me sens la plupart du temps: brave, apeurée et... très, très vivante.

À propos du processus de recherche

POUR LES CASSE-COU ET
AUTRES ACCROS À LA MÉTHODOLOGIE

Il y a de cela quelques années, une jeune femme est venue me voir après une conférence et m'a dit : « J'espère que vous ne penserez pas que c'est bizarre ou impoli de ma part, mais vous ne ressemblez pas à une chercheuse. » Elle n'a rien ajouté d'autre ; elle est juste restée là debout à attendre, l'air dérouté.

J'ai souri et demandé : « Que voulez-vous dire ? »

Elle a répondu : « Vous semblez si normale. »

J'ai gloussé. « Eh bien, les apparences sont trompeuses. Je ne suis tellement *pas* normale. »

Nous avons fini par avoir une belle conversation. Elle était mère monoparentale et terminait un baccalauréat en psychologie. Elle adorait ses cours de recherche, mais le doyen de sa faculté ne l'encourageait pas à poursuivre la voie de la recherche. Nous avons parlé de travail et de maternité et de ce à quoi sont censés ressembler les chercheurs. Il semble qu'il me manquait la souris, le long sarrau blanc de laboratoire et le chromosome Y. Elle m'a dit : « J'imaginais les chercheurs comme des hommes de race blanche plus âgés étudiant les souris dans un laboratoire, pas une maman-soccer étudiant les sentiments. »

Le chemin qui m'a conduite à la recherche fut tout, sauf étroit et linéaire, ce qui, ironiquement, est peut-être la raison pour laquelle j'ai fini par gagner ma vie en étudiant le comportement et les émotions humaines. J'ai été une décrocheuse universitaire pendant un certain nombre d'années. Durant ces années «sans sessions», je fus serveuse et barmaid, j'ai fait de l'auto-stop partout en Europe et j'ai joué beaucoup au tennis... vous voyez le tableau.

J'ai découvert la vocation du travail social vers la fin de la vingtaine et je savais qu'elle était mienne. J'ai passé deux ans dans des collèges à augmenter ma moyenne afin d'être acceptée dans une université réputée et dotée d'un programme de travail social. Ce fut au cours de ces deux années que je tombai amoureuse de l'enseignement et de l'écriture.

Après ces années de décrochage et de rattrapage, j'ai reçu de l'Université du Texas-Austin mon diplôme avec mention, ainsi que ma licence de travail social. J'avais 29 ans. Puis, j'ai aussitôt posé ma candidature pour le cycle supérieur à l'Université de Houston. J'ai été acceptée, j'ai travaillé dur et j'ai terminé ma maîtrise avant d'être acceptée dans un autre programme, celui du doctorat.

Pendant mon doctorat, j'ai découvert les recherches qualitatives. Contrairement aux recherches quantitatives, où les tests et les statistiques vous fournissent ce dont vous avez besoin pour prédire et contrôler les phénomènes, les recherches qualitatives décrivent des modèles et des thèmes qui vous aident à mieux comprendre le phénomène que vous étudiez. Ce sont deux approches également importantes mais très différentes l'une de l'autre.

J'utilise une méthodologie qualitative spécifique qu'on appelle la Théorie ancrée[53]. J'ai été suffisamment chanceuse d'être supervisée par Barney Glaser, un des deux cofondateurs de cette méthodologie dans les années 60. Monsieur Glaser faisait le trajet depuis la Californie pour servir comme méthodologue dans mon jury de thèse.

La prémisse fondamentale de la Théorie ancrée est de commencer avec le moins d'idées préconçues possible, afin de pouvoir construire une théorie basée sur les données qui émergent du processus. Par exemple, lorsque je me suis mise à travailler sur ce que j'appellerais plus tard mes *Recherches sur les sans réserve*, je posais deux questions : Quelle est l'anatomie de la connexion humaine, et comment fonctionne-t-elle ? Après avoir étudié le meilleur et le pire de l'humanité, j'avais appris que rien n'était plus important que la connexion humaine et je désirais en savoir davantage sur les tenants et aboutissants de la façon dont nous développons des connexions signifiantes.

Durant la collecte de données qui allait me permettre de répondre à ces questions, je suis tombée sur la honte : cette chose même qui corrode la connexion. J'ai choisi de faire un détour rapide pour comprendre la honte afin de mieux comprendre la connexion. À partir de là, mes questions sont devenues : « Qu'est-ce que la honte, et comment affecte-t-elle notre vie ? »

---

53. Barney G. Glaser et Anselm L. Strauss, *The Discovery of Grounded Theory: Strategies for Qualitative Research* (Hawthorne, NY: Aldine Transaction, 1967); Barney G. Glaser, *Theoretical Sensitivity: Advances in the Methodology of Grounded Theory* (Mill Valley, CA: Sociology Press, 1978); Barney G. Glaser, *Basics of Grounded Theory Analysis: Emergence vs Forcing* (Mill Valley, CA: Sociology Press, 1992); Barney G. Glaser, *Doing Grounded Theory: Issues and Discussions* (Mill Valley, CA: Sociology Press, 1998); Barney G. Glaser, *The Grounded Theory Perspective: Conceptualization Contrasted with Description* (Mill Valley, CA: Sociology Press, 2001); Barney G. Glaser, *The Grounded Theory Perspective II: Description's Remodeling of Grounded Theory* (Mill Valley, CA: Sociology Press, 2003); Barney G. Glaser, *The Grounded Theory Perspective III: Theoretical Coding* (Mill Valley, CA: Sociology Press, 2005).

Mon détour censé être rapide a finalement duré huit ans (il y en avait des tonnes à apprendre). J'ai soulevé de nouvelles questions à la lumière des données recueillies : les hommes et les femmes qui avaient embrassé leurs imperfections et leurs vulnérabilités, tout en ayant développé un haut niveau de résilience à la honte, semblaient valoriser un certain mode de vie. Que valorisaient-ils au juste, et comment cultivaient-ils ce dont ils avaient besoin ? Ces questions sont devenues les critères pour déterminer ce que cela prend pour vivre sans réserve, avec authenticité.

Mes données ne proviennent pas de questionnaires ou de sondages; je passe des gens en entrevue et j'écris leurs histoires en prenant des notes sur le terrain. En fait, je suis une *attrapeuse d'histoires*. Depuis environ dix ans, j'ai colligé plus de dix mille témoignages. J'ai effectué des entrevues systématiques avec près de mille hommes et femmes, individuellement et en groupes fermés. Les gens m'ont raconté leur vie au moyen de lettres et de courriels, dans mon blogue et dans les cours que j'ai dispensés. Certains m'ont même envoyé des créations artistiques et des copies de leur journal intime. J'ai aussi donné des conférences à des dizaines de milliers de professionnels en santé mentale qui m'ont fait part de leurs études de cas.

Lorsque les entrevues sont terminées, j'analyse les témoignages à la recherche de thèmes et de modèles afin que mes données puissent générer des théories. Quand je décode mes données (c'est-à-dire quand j'analyse les histoires), j'entre dans un mode de recherche profond où mon unique objectif est de saisir l'essence de ce que j'y ai entendu. Je ne pense pas à la façon dont je le dirais, mais à la façon dont on me l'a dit. Je ne pense pas à ce qu'une expérience signifierait pour moi, mais à ce qu'elle signifiait pour la personne qui me l'a raconté.

Plutôt que d'aborder un problème en disant : « J'ai besoin de preuves pour quelque chose que je sais déjà être vrai », l'appro-

che de la Théorie ancrée me pousse à laisser tomber mes intérêts et mes engagements pour me concentrer sur les soucis, les
intérêts et les idées des personnes que je passe en entrevue.

Ce processus de décryptage peut être laborieux et difficile.
Mon mari, Steve, aime quitter la ville avec les enfants lorsque
j'entre dans cet état de comparaisons, de décodage et de prise
de notes. Il dit que le climat devient un peu effrayant, parce que
je fais les cent pas dans la maison, hagarde, en marmonnant
avec un paquet de feuilles lignées dans les mains. C'est un processus très attractif.

Ce que j'adore/déteste le plus à propos de la Théorie ancrée,
c'est qu'elle ne finit jamais vraiment. La théorie que vous mois-
sonnez de vos résultats est seulement «bonne» à expliquer de
nouvelles données. Cela veut dire qu'à chaque fois que vous
recueillez une nouvelle histoire ou une nouvelle pièce d'information, vous devez la brandir contre cette théorie que vous avez
développée. Est-ce que ça concorde? Est-ce que ça sonne vrai?
Votre théorie déjà existante vous aide-t-elle à défricher de nouveaux résultats, et ce, de façon signifiante?

Si vous suivez mon blogue ou avez assisté à l'une de mes
conférences, vous pouvez probablement attester la nature évo-
lutive de mes théories. Si vous avez envie d'honorer ces histoires
que les gens ont partagées avec vous, il vous faut rester rigou-
reux dans vos tentatives de capturer leur sens. C'est un défi
mais, honnêtement, j'adore ce que je fais.

Si vous êtes vraiment intéressé par la Théorie ancrée ou désirez avoir plus d'information sur la méthodologie, visitez mon site
Web pour des hyperliens d'articles universitaires sur la Théorie
de la résilience à la honte et sur la Théorie de la vie sans réserve
(*www.brenebown.com*).

❤

À propos de l'auteure

DR BRENÉ BROWN est chercheuse, auteure et professeure. Elle est membre de la faculté de recherche du Graduate College of Social Work de l'Université de Houston, où elle a passé les dix dernières années à étudier un concept qu'elle nomme la vie sans réserve, posant des questions telles que : *Comment nous consacrer à notre vie sur les marches de l'authenticité et de la dignité ? Comment cultiver le courage, la compassion et la connexion dont nous avons besoin pour embrasser nos imperfections et reconnaître que nous sommes à la hauteur, que nous méritons l'amour, l'appartenance et la joie ?*

Brené a passé les sept premières années de cette aventure de dix ans de recherches à sonder comment les expériences universelles de honte et de peur nous affectent, et comment la pratique de la résilience dans notre vie quotidienne peut changer la manière dont nous vivons, aimons, éduquons et travaillons.

En 2008, elle a été nommée *Scholar-in-Residence en santé behavioriste* au Council on Alcohol and Drugs à Houston. Son travail a été souligné sur le canal PBS ainsi que chez Oprah and Friends Radio Network, et ses articles ont paru dans les magazines Self et Elle, ainsi que dans de nombreux quotidiens nationaux. Elle est aussi fréquemment invitée à diverses émissions de radio à travers les États-Unis. Houston Women

Magazine l'a nommée parmi les « 50 femmes les plus influentes de l'année 2009 ».

En plus de ce livre-ci, Brené est l'auteure de *I Thought It Was Just Me (but it isn't): Telling the Truth About Perfectionism, Inadequacy, and Power* (Gotham, 2007) et de *Wholehearted: Spiritual Adventures in Falling Apart, Growing Up, and Finding Joy* (Hazelden, 2011). Elle est également l'auteure de *Connections*, un document psychoéducatif sur la résilience à la honte que les professionnels de la santé mentale et de la dépendance distribuent à travers l'Amérique du Nord.

Brené vit à Houston avec son mari, Steve, et leurs deux jeunes enfants, Ellen et Charlie.

Vous pouvez en apprendre davantage sur Brené et ses recherches en visitant le *www.brenebrown.com* ou son blogue au *www.ordinarycourage.com*. Pour consulter un guide de lecture (en anglais) sur *La grâce de l'imperfection* et une liste de lectures conseillées, rendez-vous sur son site Web.

♥